LÍDERES
Estratégias para Assumir a Verdadeira Liderança

LÍDERES

Estratégias para Assumir a Verdadeira Liderança

Warren Bennis
Burt Nanus

Tradução:
Auriphebo Berrance Simoês

Direção Geral:	Julio E. Emöd
Supervisão Editorial:	Maria Pia Castiglia
Coordenação Editorial:	Maria Elizabeth Santo
Revisão de Estilo:	Maria Lúcia G. Leite Rosa
Assistente Editorial:	Vera Lucia Juriatto da Silva
Programação Visual:	Maria Paula Santo
Capa:	Mônica Roberta Suguiyama
Fotografia da Capa:	Sidor Art/Shutterstock
Composição:	Maurícia Braga de Jesus
Arte Final:	Ricardo Mendes Gomes
Fotolitos:	H. O. P. Fotolitos Ltda.
Impressão:	Log&Print Gráfica

LÍDERES
Copyright © 1988 por **editora HARBRA ltda.**
Rua Joaquim Távora, 629
04015-001 – São Paulo – SP
Tel.: (011) 5084-2482 – Fax: (011) 5575-6876
www.harbra.com.br

LEADERS – The Strategies for Taking Charge
Copyright © por Warren Bennis e Burt Nanus.
Publicado originalmente nos EUA por Harper & Row, Publishers, Inc.

Todos os direitos reservados. Nenhuma parte desta edição pode ser utilizada ou reproduzida – em qualquer meio ou forma, seja mecânico ou eletrônico, fotocópia, gravação etc. – nem apropriada ou estocada em sistema de banco de dados, sem a expressa autorização da editora.

Impresso no Brasil   *Printed in Brazil*

Conteúdo

Agradecimentos

EVITANDO EQUÍVOCOS   1

Uma Nova Teoria de Liderança   3
O Contexto de Liderança   6
Mudanças de Paradigma   11

LIDERANÇA E AUTOCONTROLE   17

As Quatro Estratégias   23
Concessão de Poder:
A Variável Dependente   67
Plano para Implementação   71

**ESTRATÉGIA I:
ATENÇÃO ATRAVÉS DA VISÃO   73**

Visão e Organizações   75
Dar Atenção:
O Líder à Procura de Visão   79
Visão Sintetizadora:
A Escolha de Direção pelo Líder   85
Enfoque de Atenção:
O Líder em Busca de Comprometimento   89

ESTRATÉGIA II:
SIGNIFICADO ATRAVÉS DA COMUNICAÇÃO   92

Três Estilos de Arquitetura Social   99
Ferramentas do Arquiteto Social   117
Mudança da Arquitetura Social   122

ESTRATÉGIA III:
CONFIANÇA ATRAVÉS DE
POSICIONAMENTO   127

Organizações e seus Ambientes   130
Busca de Posição   140
Lições para Liderança   154

ESTRATÉGIA IV:
O DESENVOLVIMENTO DO EU   157

A Organização da Aprendizagem   159
Aprendizagem Inovadora   163
Liderando a Organização da Aprendizagem   171
Organização para a Aprendizagem Inovadora   175

ASSUMIR A RESPONSABILIDADE:
LIDERANÇA E CONCESSÃO DE PODER   181

A Formação em Administração   184
Dissipação de Mitos   186
Uma Nota Final   190

Notas   193

Agradecimentos

Ralph Waldo Emerson costumava cumprimentar velhos amigos que há tempos não via com a seguinte saudação: "O que é que se tornou mais claro para você, desde que nos encontramos pela última vez?". Uma seção de agradecimentos proporciona aos autores a oportunidade de refletir sobre essa pergunta e conceder o apreço, já atrasado, aos que, na época de preparação dos originais, podem ter sido esquecidos, ou perderam-se de vista, mas agora — isto se torna claro para nós — precisam ser identificados e receber agradecimentos. Já que nosso livro resultou verdadeiramente de um esforço de colaboração, fazemos estes agradecimentos da mesma forma, ou seja, agradecemos em dupla:

Primeiramente, precisamos destacar os noventa líderes que participaram deste estudo, sem os quais o presente livro não teria sido proposto, escrito, ou acabado. Eles foram companheiros generosos. Também temos de mencionar John Gardner, Donald Michael e James MacGregor Burns pela inspiração intelectual. Plágio e emulação têm muito em comum, embora o primeiro seja tanto um pecado mortal como uma transgressão à lei, e o último é, como dizem, a mais alta forma de lisonja, pelo qual esperamos ser perdoados.

Muitas pessoas estimularam-nos intelectualmente, ajudando-nos com suas idéias e incitando-nos com sua impaciência, com perguntas como: "E o livro? E o livro?". Chegaram muito perto de se tornar um transtorno, porém sabe Deus quando este livro seria terminado, não fosse a sua generosa impaciência, como também seu estímulo. Sem dúvida, neste sentido, devem ser citados Jim O'Toole, Rosabeth Moss Kanter, Werner Erhard, Tom Peters, Selwyn Enzer, Eppie Lederer, Bob Townsend e Bob Schwartz.

Uma nota especial de agradecimento deve ser feita a Mary Jane O'Donnell e Marcia Wilkof por suas contribuições conceptuais para o nosso livro: a Mary Jane por nos revelar o valor dos Surpreendentes Wallendas e a Marcia Wilkof por sua contribuição fundamental para o capítulo sobre a Estratégia II.

Doris MacPherson não apenas datilografou e redatilografou inúmeras cópias do livro, como também proporcionou, espontaneamente, sugestões sempre acertadas sobre como melhorar nossos esforços. Debbie Rangel e Sheila Thomas afavelmente testaram os limites do processamento de palavras com rascunhos freqüentes, e Freda Maltin tratou com desembaraço dos detalhes administrativos.

Há quatro outros que nos sentimos na obrigação de agradecer por sua incrível paciência conosco e seu sólido apoio durante os dois anos e meio consumidos na elaboração deste livro: o reitor Jack Steele, nosso "chefe" na USC, que não vacilou em seu apoio; Marlene Nanus, por sua tranqüila devoção a um marido "em trabalho"; Bill Leigh, por razões que ele particularmente compreenderá; e nossa editora, Harriet Rubin, com quem lutamos corpo a corpo, lutamos e trabalhamos até que ela finalmente venceu, fazendo com que fôssemos capazes de fazer este livro da melhor forma possível.

Warren Bennis
Burt Nanus

A nossos filhos:

Kate
John
e
Will
e
Leora

e a todas as crianças:
líderes da próxima geração

Evitando Equívocos

Estes são tempos difíceis
em que um gênio gostaria de viver.
As grandes necessidades fazem surgir grandes líderes.

Abigail Adams
1790, em uma carta a
Thomas Jefferson

"Liderança" é uma palavra que está na boca de todos. O jovem a ataca e o velho se sente saudoso. Os pais a perderam e a polícia está à sua procura. Os peritos reivindicam-na e os artistas a rejeitam, enquanto os eruditos a desejam. Os filósofos conciliam-na (como autoridade) com liberdade e os teólogos demonstram sua compatibilidade com a consciência. Enquanto os burocratas fingem que a possuem, os políticos desejam tê-la. Todos concordam em que há menos liderança do que costumava haver. Atualmente a questão está

2 LÍDERES

no mesmo ponto em que se encontrava em 1648, quando um certo Mr. Wildman afirmou: "A liderança está despedaçada".

Ao mesmo tempo, a história fervilha com nomes de indivíduos que proporcionaram extraordinária liderança e que surgiram para enfrentar os desafios de suas épocas: Winston Churchill, Mahatma Gandhi, Franklin D. Roosevelt. Suas lideranças construíram grandes nações. Tom Watson, Edwin Land, Alfred P. Sloan. Suas lideranças construíram grandes organizações.

Muitas vezes, a enormidade dos desafios de nossos tempos e a velocidade das mudanças parecem não ser acompanhadas por grandes idéias e por pessoas igualmente grandiosas para implementá-las. Este vazio, assim como muitos períodos de trevas, podem pressagiar novos líderes. E, certamente, nesta moratória foram incubados novos conceitos de liderança. Com o surgimento de grandes homens e mulheres, podemos prever novas e excitantes visões de poder.

Nunca a necessidade foi tão grande. Uma crise crônica de liderança — isto é, a incapacidade universal das organizações de fazer frente às expectativas de seus elementos — é, atualmente, um fator que avassala o mundo inteiro. Estamos num momento da história em que se faz necessária uma visão estratégica global de liderança, não apenas da parte de uns poucos líderes em altos postos, mas de grandes números de líderes em cada cargo, da linha de montagem da fábrica até o escritório do presidente de uma organização, de uma cadeia de lanchonetes como a McDonald's até um escritório de advocacia.

Este livro foi escrito sob a crença de que a liderança é a força subjacente às organizações de sucesso, e que para criar organizações vitais e viáveis é necessária a liderança, que ajuda as organizações a desenvolverem uma nova visão do que podem ser, depois direciona a mudança para essa nova visão. A General Motors, AT&T, Citicorp, Honeywell, IBM, TRW e GE representam uma amostra das principais empresas dos Estados Unidos que investem em grandes transformações organizacionais para garantir a vitalidade de longo prazo. Em todos os casos, o propulsor principal está na liderança. O novo líder de que este livro fala é aquele que lança as pessoas à ação, que converte seguidores em líderes, e que pode converter líderes em agentes de mudança. Chamamos esse tipo de liderança de "transformadora" e voltaremos a ela o tempo todo.[1]

Porém, antes de prosseguirmos, gostaríamos de dizer algumas coisas a respeito de liderança e do contexto gerencial de hoje, que torna a liderança tão problemática.

UMA NOVA TEORIA DE LIDERANÇA

Através dos anos, nosso ponto de vista sobre o que é liderança e quem pode exercê-la mudou consideravelmente. As habilidades necessárias à liderança permaneceram constantes, mas nosso entendimento do que ela é, como funciona, e as maneiras pelas quais as pessoas aprendem a aplicá-la, mudou. Na verdade o início de uma teoria geral da liderança encontra-se na história, na pesquisa social e, acima de tudo, nas idéias de pensadores como Moisés, Péricles, Júlio César, Jesus Cristo, Martin Luther, Niccolò Machiavelli e James Madison, assim como em nosso próprio tempo, de fontes díspares de sabedoria como Gandhi, V.I. Lênin, Winston Churchill, Charles de Gaulle, Dean Acheson, Mao Tsé-Tung, Chester Barnard, Martin Luther King, Jr., John Gardner e Henry Kissinger. Todos eles têm muito pouco em comum, exceto o fato de não

4 LÍDERES

apenas terem sido líderes, mas também terem tentado, com franqueza, escrever sobre o assunto.

Contudo, o folclore e a observação reflexiva não são suficientes, salvo para nos convencermos de que os líderes são fisicamente fortes e trabalhadores anormalmente árduos. Hoje estamos um pouco mais perto de entender como e quem lidera, mas não foi fácil chegar a esse ponto. Décadas de análise acadêmica deram-nos mais de 350 definições de liderança. Literalmente, só nos últimos setenta e cinco anos foram feitas milhares de investigações empíricas, mas não existe um entendimento claro e inequívoco quanto ao que distingue líderes de não líderes e, talvez da maior importância, o que distingue líderes *efetivos* de *não efetivos*, e organizações *efetivas* das que não o são.

Jamais tantos trabalharam durante tanto tempo para dizer tão pouco. Existem interpretações múltiplas de liderança, cada qual proporcionando um pouco de discernimento, mas cada uma continuando como uma explicação incompleta e totalmente inadequada. A maioria destas definições discorda entre si, e muitas devem parecer bem remotas para os líderes cujas habilidades estão sendo dissecadas. As definições refletem ondas passageiras, modas, marés políticas e tendências acadêmicas. Nem sempre refletem a realidade e algumas vezes apenas representam insensatez. É como se o que Braque certa vez disse a respeito de arte também fosse verdadeiro no que tange à liderança: "A única coisa que importa na arte é a parte que não pode ser explicada".

Houve uma época em que se pensou que as habilidades de liderança fossem uma questão de nascença. Os líderes eram natos, e não formados, impelidos a liderar por algum processo insondável. Esta poderia ser chamada de teoria da liderança do "Grande Homem". Considerava o poder como investido em um número muito limitado de pessoas, cuja herança e destino os tinham tornado líderes. Os da cepa certa podiam liderar; todos os demais deveriam ser liderados. Era uma questão de possuir ou não o dom. Nem o nível de educação, nem as aspirações, poderiam mudar a sua sina.

Quando este ponto de vista falhou em explicar liderança, foi substituído pela noção de que os grandes eventos transformavam pessoas comuns em líderes. Presumivelmente, Lênin estava apenas "vagueando por ali" quando uma revolução pulou à sua frente, e Washington simplesmente estava "à mão" quando as colônias optaram por se tornarem um país. Esta idéia do "Grande Estouro", em que a situação e os seguidores se combinaram para fazer um líder, como a teoria do "Grande Homem", foi outra definição inadequada.

Assim como o amor, a liderança continuou a ser algo que todos sabiam que existia, mas ninguém podia definir. Muitas outras teorias da liderança vieram e se foram. Algumas enfocavam o líder. Outras, a situação. Nenhuma resistiu ao teste do tempo.

Agora, no meio deste entorpecimento que não foi interrompido nem pelo Grande Homem, nem pelo Grande Estouro, temos uma nova oportunidade de avaliar nossos líderes e ponderar sobre a essência do poder.

Nos dias atuais, o poder é notável por sua ausência. Falta de poder frente à crise. Falta de poder frente à complexidade. Com a contradição e polarização de pensamento e ação, o poder foi sabotado, enquanto emerge um pandemônio tramado. As instituições têm sido rígidas, indolentes, ou paliativas. Supostos líderes parecem ignorantes ou inatingíveis, insensíveis e apáticos. Pior de tudo, as soluções continuam a ser inapropriadas ou simplesmente inexistentes.

6 LÍDERES

O CONTEXTO DE LIDERANÇA

Tudo isso criou uma mutilação gerencial que só pode ser melhor entendida se examinarmos o ambiente de liderança de hoje. Isso pode ser resumido sob três contextos principais: *comprometimento, complexidade* e *credibilidade.*

Comprometimento

Há pouco tempo a *Public Agenda Forum*[2] empreendeu um grande levantamento da força de trabalho americana não gerencial e chegou aos seguintes resultados alarmantes:

- Menos de 1 em cada 4 empregados diz que atualmente está trabalhando com utilização plena de seu potencial.
- Metade diz que não faz esforço em seu trabalho além do necessário para manter o emprego.
- A grande maioria, 75%, diz que pode ser significativamente mais efetiva do que atualmente é.
- Perto de 6 em cada 10 americanos empregados acreditam que eles "não trabalham tão arduamente como antes". (Isto pode ou não ser verdade, mas é a sua percepção.)

Mais problemática ainda é a possibilidade de que a tendência de não fazer muito esforço no emprego possa estar aumentando. Numerosos observadores indicaram que existe uma discrepância considerável entre o número de horas que as pessoas são pagas para trabalhar e o número de horas despendido em trabalho produtivo.

Evitando Equívocos **7**

Há evidência de que esta discrepância está se ampliando. Um levantamento efetuado pela Universidade de Michigan mostra que a diferença entre as horas pagas e as de trabalho real aumentou em 10% durante a década de 1970. As pessoas falam do declínio da ética do trabalho. Queixam-se de que não estão sendo treinados cientistas e técnicos em número suficiente. Mas o que na realidade existe é uma *falha no comprometimento*. Os líderes fracassam em instilar visão, objetivos e confiança em seus seguidores. Falham em delegar-lhes autoridade. Sem levar em conta se estamos considerando grandes empresas, órgãos do governo, instituições ou pequenas empresas, o fator chave e principal, necessário para aumentar os recursos humanos, é a liderança.

Complexidade

Esta é uma época marcada por mudanças rápidas e súbitas. Os problemas das organizações são cada vez mais complexos. Há excesso de ironias, polaridades, dicotomias, dualidades, ambivalências, paradoxos, confusões, contradições, contrários e balbúrdia para qualquer organização compreender e resolver. Pode-se ler um jornal em qualquer dia da semana e encontrar indicações desta complexidade desordenada. Para ilustrar, notamos os seguintes registros no *Wall Street Journal* durante um período de cinco dias, no final de 1983:

- Falência solicitada por uma grande instituição financeira e uma grande empresa aérea, a Continental.
- A falência estava "pairando no ar" sobre uma outra grande empresa aérea, a Eastern.
- A TWA começou a limitar suas operações de linha aérea aos acionistas.

8 LÍDERES

- A Knight-Ridder Newspapers, Inc. anunciou a formação de um novo grupo de assessoria a ser conhecido como Business Informational Services.
- A Reserva Federal preveniu que quase 600 bancos são "inseguros ou pouco sólidos" e têm "uma possibilidade relativamente alta de insolvência".
- O ex-presidente do conselho de administração do Fundo Monetário Internacional considerou 50 nações "tomadoras" como candidatas a desastre.
- A *Travelers Insurance* anunciou que estava entrando no negócio bancário.
- Uma grande empresa da Califórnia disse que estava testando supervisores quanto às suas capacidades em diferentes áreas a fim de enviá-los a reuniões separadas.
- A Atari lançou em um depósito de lixo a carga de 14 caminhões carregados de equipamento de computador e depois enterrou-a, jogando concreto. Isto, de uma fábrica adaptada para reciclar sucata.
- Uma grande revista de administração revelou que "as empresas dos Estados Unidos estão nas agonias de uma revolução cultural".
- E o ano fiscal de 1983 terminou com um déficit recorde de quase $ 200 bilhões. (Tinha sido de $ 58 bilhões em 1981, ano em que o presidente prometeu erradicar o déficit em 1983.)

Do mesmo modo, os jornais indicam eventos portentosos todos os dias. Estas mudanças têm efeitos profundos sobre a nossa sociedade e sobre como lideramos as nossas organizações. Elas são interagentes, descontínuas e em aceleração. As fontes tradicionais de informação e técnicas de administração tornaram-se menos efetivas, ou obsoletas. A informação e o pensamento linear e as estratégias aperfeiçoadas não estão à altura da turbulência do clima empresarial de hoje. Extrapolar fracassos para reconhecer novas incógnitas e "contemporizar" não resolvem coisa alguma.

Uma metáfora para os tempos em que estamos vivendo, particularmente no ambiente gerencial, é o "beisebol chinês", conforme nos foi relatado por R. Chin. O beisebol chinês é jogado exatamente como o americano, com uma exceção básica, que é a seguinte: No minuto em que a bola deixa as mãos do lançador, os interceptadores podem fazer o que quiser. Podem juntar as bases. Podem separar a segunda da terceira base trinta metros, se lhes aprouver. Todos os interceptadores para um batedor fraco podem se agrupar em direção ao campo interno; para um batedor forte, a equipe inteira pode jogar perto das grades; para um corredor lento, a primeira base pode ser estendida para o campo externo. É uma loucura — aparentemente. E é essa impressão que temos, no momento, do ambiente gerencial, havendo pouca razão para se esperar épocas mais simples no futuro. Deixemos essas esperanças para os filmes de *cowboy* e para os surtos de nostalgia. Alfred North Whitehead sabiamente nos alertou a este respeito quando disse: "Procure a simplicidade e depois desconfie dela". O problema é que muitos procuram a simplicidade e depois se esquecem de desconfiar dela. "Prevejo um futuro brilhante para a complexidade", disse uma personagem em um conto de E. B. White, escrito há quase sessenta anos. E a personagem prosseguiu a fim de completar sua frase e resumir nossa condição atual: "Você já considerou como as coisas podem ficar complicadas, e que uma coisa sempre leva à outra?".

Em alguns setores a complexidade levou ao que parece ser uma intolerância coletiva com a ambigüidade e um "hiato de credibilidade", para a qual nos voltamos agora.

Credibilidade

Hoje em dia a credibilidade é um prêmio. Os líderes estão sendo examinados como nunca. Cinqüenta anos atrás não era assim. O setor público ficou mais voraz e vociferante desde a Depressão. A atenção ao bem-estar, serviços sociais, saúde, educação e ambiente gerou um atoleiro de grupos de defesa, regulamentos governamentais, organização dos consumidores e sindicatos, aos quais os mídia são cada vez mais responsivos. Todos estão questionando e desafiando a autoridade, e os poderosos precisam mover-se com a cautela dos felinos, sobre campos minados.

As forças externas, bem como fervilhantes clientelas internas, impingem e impõem sobre todas as organizações e seus líderes. Os atuais "pontos de referência" do setor público deixam pouco espaço para qualquer coisa senão retidão e responsabilidade. Idéias válidas, importantes e construtivas tornaram-se vítimas da divulgação e da crítica. As relações públicas tornaram-se empresas maiores do que a Empresa em si, enquanto os líderes procuram convocar e manobrar opiniões obstinadas e caprichosas.

Conquanto as comunicações de massa influenciem de forma maligna o impulso gerencial, são também inevitáveis. Quando um homem ou uma mulher opta por liderança e assume responsabilidade, ele ou ela também capitula frente à privacidade. Assim como uma molécula de grande massa adquire mais átomos, eles atrairão mais aliados e mais observação. Aqui, o paradoxo é "Como é que você coloca todos no ato e ainda consegue alguma ação?". (Posteriormente falaremos mais sobre esta forma de complexidade.)

Os profundos sentimentos de insegurança são a norma. São vivenciados pelas pessoas de todas as crenças e de todas as faixas econômicas, de todas as esferas de influência e de todos os níveis de competência. Há diversos anos, quando Jimmy Carter fez seu famoso "Discurso do Mal-Estar", víamos adesivos colados nos carros dizendo simplesmente "Conteste Alguém". Isto parecia resumir a situação. Durante a última eleição, os adesivos diziam "Não vote. Isso Somente Os Encorajará". Esta atitude, compartilhada por tantos americanos irritados, é indicativa de seguidores relutantes, bem como de uma escassez de líderes. Em suma, as negociações líder/seguidor ficaram confusas.

MUDANÇAS DE PARADIGMA

Os contextos de apatia, escalada da mudança e incerteza fazem a liderança parecer manobrar sobre rolamentos esféricos, que deslizam cada vez mais rapidamente e sem direção. O desânimo aumentou com os acontecimentos dos últimos vinte anos: assassinatos, guerras, crimes empresariais e condições internas e internacionais insustentáveis. Mas, apesar das mediocridades, dissimulações, destruições e mortes das duas últimas décadas, acreditamos, assim como muitos pensadores contemporâneos, que a ansiedade e a falta de lealdade do povo americano não é acompanhada de estupor. Em lugar disso, ocorre que estamos nos aproximando de um grande ponto de reversão na história — o que Karl Jaspers chamou de "ponto axial", onde se procura uma nova perspectiva, onde são exigidas algumas redefinições fundamentais, onde nossa escala de valores tem de ser revista. Procuramos vidas que não sejam medidas unicamente em termos de renda, sociedades que não sejam avaliadas por consumo de gasolina, e a supressão da mais ilusória e enganosa de todas as avaliações, o PIB.

12 LÍDERES

O fato é que, embora estes tempos sejam difíceis, frustradores e temerosos, eles também são interessantes, catalisadores e cruciais. Conforme a raposa disse ao Pequeno Príncipe, "Isso não é o que parece ser". Nasce um novo paradigma.

A sobrevivência no meio desta loucura aparente exige grande flexibilidade e consciência por parte dos líderes, bem como dos seguidores. Nossos objetivos maiores, paz e prosperidade, têm de girar em torno de uma comunicação mais eficiente e de sistemas de crença ampliados. Precisamos fixar nossos horizontes não nos mandatos de instituições que se atrofiam, mas nos sucessos de novas empresas florescentes. É para as tendências que devemos olhar, à medida que moldamos o futuro e nos moldamos.

O cronista John Naisbitt isolou dez convicções presentes e futuras em *Megatrends*, seu *bestseller* sobre o novo paradigma.[3] As mudanças são as seguintes:

De	Para
Sociedade Industrial	Sociedade Informática
Tecnologia Forçada	Alta Tecnologia/Alto Contato
Economia Nacional	Economia Mundial
Curto Prazo	Longo Prazo
Centralização	Descentralização
Auxílio Institucional	Auto-Auxílio
Democracia Representativa	Democracia Participativa
Hierarquias	Rede de Trabalho
Norte	Sul
Uma Coisa ou Outra	Opção Múltipla

Estas mudanças, durante algum tempo, foram examinadas de uma forma ou de outra. Incluem escritos mais antigos como a "Teoria Y" de McGregor[4], *Up the Organization*, de Townsend[5], "Nova Cultura", de Slater[6], e "Época B", de Salk.[7] Mais recentemente, este pa-

Evitando Equívocos 13

radigma pode ser observado em *Voluntary Simplicity*, de Duane Elgin[8], *Vencendo a Crise*, de Peters e Waterman[9], *Teoria Z*, de Ouchi[10], *The Art of Japanese Management*, de Pascale e Athos[11], e "Estruturas Dissipativas", de Prigogine.[12]

Contudo, falta algo em todas as formulações da "nova era" — uma questão que tem sido sistematicamente omitida, sem exceção: *PODER a energia básica para iniciar e sustentar a ação, traduzindo a intenção para realidade*, a qualidade sem a qual os líderes não podem liderar. Assim como os economistas se colocaram num beco cada vez mais sem saída, deixando de reconhecer as limitações e restrições do livre comércio, também os estudantes de organizações evitaram o problema central da liderança. Sem qualquer ressalva, podemos afirmar categoricamente que todos os atuais paradigmas da vida organizacional, sejam eles da "nova era", ou das velhas cepas, falharam em considerar o *poder*.*

Bertrand Russell uma vez disse, "O conceito fundamental em ciência social é o poder, no mesmo sentido em que a energia é o conceito fundamental em Física". O fato de ignorarmos isto, de não enxergarmos o óbvio, conduziu a um curto-circuito transacional humano. Em suma, somos uma nação sofrendo de um sério bloqueio de poder.

Ironicamente, o poder é uma das forças mais conhecidas no universo. É a atração e o impulso que sentimos e exercemos desde o nascimento até a morte. Está implícito em toda a interação humana — familiar, sexual, ocupacional, nacional e internacional — secreta ou abertamente.

---

* Uma exceção importante é o livro recente de Rosabeth Moss Kanter, *The Change Masters*, que trata, diretamente e com talento, do poder.[13]

14 LÍDERES

Porém, esta energia social básica foi encoberta de tal forma que não é mais possível reconhecê-la. Traz em si uma vasta quantidade de conotações acumuladas durante milhares de anos. Estas implicações — inclusive avareza, insensibilidade, crueldade, corrupção — tomadas como um conjunto, levaram à desconsideração e desintegração do poder, para todos. Em outras palavras, é ao mesmo tempo o elemento mais necessário e menos confiável, entre os exigidos para o progresso humano.

Para compreender esta ambigüidade, observe as maneiras pelas quais o poder tem sido mal usado. Historicamente os líderes têm controlado ao invés de organizar, administrado a repressão ao invés da expressão, e mantiveram seus seguidores parados, ao invés de mantê-los em evolução.

Estamos indo para a frente, mas fazêmo-lo sem dar ao poder um lugar em nossa visão. Nosso temor de confronto — seja entre amantes ou amigos, ou através de crime, injustiças locais, mídia, ou governo — tornou lenta nossa participação para um futuro justo, impedindo-a em alguns casos. Como o proprietário de uma casa que hesita chamar a dedetizadora porque teme que quando os cupins desaparecerem, a casa cairá, *o paradoxo de qualquer progresso baseado em conflito é sua fragilidade fundamental.*

Precisamos aprender a perceber o poder pelo que *ele realmente é.* Basicamente, é o recíproco de liderança. Talvez a maneira mais clara de ilustrar o que entendemos por liderança seja usar uma demonstração e, entre as que nos vêm à mente, a melhor é a de Lee Iacocca na Chrysler. Ele proporcionou liderança para transformar uma empresa falida em sucesso. Criou uma visão de sucesso e mobilizou grandes facções de empregados-chave para se aliarem em apoio a essa visão. Quase exclusivamente pela liderança de Iacocca, em 1983 a Chrysler conseguiu um lucro, elevou o moral dos empregados e

Evitando Equívocos **15**

ajudou-os a encontrar um significado em seu trabalho. Ele lhes deu poder. De fato, acreditamos que a percepção de Iacocca simboliza a lacuna não preenchida na administração de hoje (e em muitas das teorias de administração), porque seu estilo de liderança é central para o sucesso organizacional. Nosso conceito de poder e liderança, portanto, é modelado pelo fenômeno Iacocca: poder é a energia básica necessária para iniciar e sustentar a ação, ou, para dizer de outro modo, *a capacidade de traduzir a intenção em realidade e sustentá-la.* Liderança é o uso sábio deste poder: liderança *transformadora.**

Como a vemos, a liderança efetiva pode movimentar as organizações de seu estado corrente para futuros, criar visões de oportunidades potenciais para as organizações, instilar comprometimento nos empregados para mudar, assim como injetar novas culturas e estratégias nas organizações que mobilizam e enfocam energia e recursos. Estes líderes não são natos. Surgem quando as organizações enfrentam novos problemas e complexidades que não podem ser resolvidos por evolução não orientada. Assumem a responsabilidade de remoldarem as práticas organizacionais, visando sua adaptação às mudanças ambientais. Dirigem as mudanças organizacionais que dão confiança e delegam poder aos empregados, a fim de que eles procurem novas maneiras de atuar. Sobrepujam a resistência à mudança, criando visões do futuro que evocam confiança e perícia nas novas práticas organizacionais. Nas próximas uma ou duas décadas, a liderança sobre a qual estamos falando e à qual nos referiremos no transcurso deste livro se tornará mais

---

* Ressaltamos a ajuda, neste ponto, bem como no livro inteiro, prestada pelo trabalho de James MacGregor Burns, e desejamos especialmente salientar sua contribuição para o nosso trabalho.[14]

16 LÍDERES

evidente nas organizações capazes de responder a condições instáveis e conturbadas.

Na realidade, enfrentamos um futuro incerto e instável, mas não sem visão. A visão é a mercadoria dos líderes, e o poder, a sua moeda. Estamos em um ponto crítico da história de nossa nação, e não podemos voltar, como indivíduos ou como país, ao que éramos há dez, cinco, ou até mesmo um ano atrás. O futuro é agora e chegou a nossa vez.

Liderança e Autocontrole

Entre as perguntas mais difíceis acerca de qualquer mudança paradigmática radical estão as seguintes: Enquanto isto, o que é que você faz? Como se prepara? Qual o papel dos líderes e educadores? Estas perguntas são simultaneamente problemáticas e maravilhosas.

No esforço para compreender e participar melhor desta era de mudança, tratamos o assunto liderança como o ponto central para a maneira pela qual o progresso é criado e para o modo como as organizações se desenvolvem e sobrevivem. Foi feita uma série de noven-

18 LÍDERES

ta entrevistas, sessenta com executivos bem-sucedidos, todos presidentes de empresa ou do conselho de administração, e trinta com líderes com altos postos no setor público.

Já que liderança é o tópico mais estudado e menos entendido das ciências sociais, tinha de ser criado um contexto para as entrevistas. Livros sobre liderança muitas vezes são extremamente inúteis, bem como pretensiosos. Liderança é como o Abominável Homem das Neves, cujas pegadas estão em todos os lugares, embora ele não esteja em lugar algum para ser visto. Não desejando piorar ainda mais a confusão de definições de liderança, decidimos proporcionar uma estrutura única e instrutiva para nossa investigação: o presente.

Parece quase banal dizê-lo, mas precisamos afirmar o evidente. Os problemas atuais não serão resolvidos sem organizações de sucesso, e estas não podem lograr êxito sem liderança efetiva. Agora.

Uma empresa com falta de capital pode tomar dinheiro emprestado, e uma em má localização pode mudar-se. Mas uma empresa que tenha falta de liderança tem pouca oportunidade de sobreviver. Na melhor das hipóteses ficará reduzida ao controle de burocratas eficientes atuando em órbitas estreitas. As organizações precisam ser lideradas para que possam sobrepujar sua "incapacidade treinada" e adaptar-se às condições que se modificam. Liderança é o que dá a uma organização sua visão e capacidade para transformar esta visão em realidade. Sem esta transformação, que ocorre entre líderes e seguidores, não haverá bom funcionamento organizacional.

O estudo procurou líderes que dominaram com sucesso a confusão presente — em contraste com os que simplesmente reagem, levantam os braços para cima, e vivem em um estado perpétuo de "choque do presente".

Liderança e Autocontrole **19**

O problema de muitas organizações, e especialmente das que estão fracassando, é que elas tendem a ser administradas demais e sublideradas (ver a figura 1). Podem se sobressair na capacidade de tratar da rotina diária, porém jamais questionam se a rotina deveria ser seguida. Há uma diferença profunda entre administração e liderança, e ambas são importantes. "Administrar" significa "ocasionar, realizar, assumir a responsabilidade, conduzir". "Liderar" é "influenciar, guiar em direção, curso, ação, opinião". A distinção é crucial. *Administra-*

Livremo-nos da Administração

As pessoas
não querem ser
administradas.
Querem ser lideradas.
Quem já ouviu falar de um
gerente mundial?
Líder mundial, sim.
Líder educacional.
Líder político.
Líder religioso.
Líder escoteiro.
Líder comunitário.
Líder trabalhista.
Líder empresarial.
Eles lideram.
Eles não administram.
Você pode *guiar* o seu cavalo
em direção da água,
mas não pode *fazer com que*
ele beba.
Se você quer administrar alguém,
administre-se a si mesmo.
Faça isso direito e você
estará pronto para
deixar de administrar.
E começar a liderar.

Figura 1 Mensagem publicada no *Wall Street Journal* pela United Technologies Corporation, Hartford, Connecticut 06101.

20 LÍDERES

dores são pessoas que fazem as coisas de forma certa e líderes são aqueles que fazem a coisa certa. A diferença pode ser resumida como atividades de visão e julgamento — *efetividade* — versus atividades de dominar rotinas — *eficiência*.

Assim, o contexto de liderança que todos os entrevistados partilharam e incorporaram esteve diretamente relacionado à forma como interpretavam seus papéis. Viam-se como líderes, não como administradores. O que equivale a dizer que se preocupavam com os propósitos básicos e a direção geral de suas organizações. Sua perspectiva foi "orientada para a visão". Não despendiam seu tempo preocupando-se com perguntas do tipo "como fazer", mas sim com paradigmas de ação, com "fazer a coisa certa".

Além do mais, o estudo se concentrou em líderes que dirigiam as novas tendências. Não houve "incrementalistas". Estas eram pessoas criando novas idéias, novas políticas, novas metodologias. Elas mudaram o metabolismo basal de suas organizações. Estes líderes estavam, na expressão de Camus, "criando perigosamente", não simplesmente dominando rotinas básicas.

A "metodologia" que usamos — se esta é a palavra apropriada a aplicar, e não temos certeza disso — foi uma combinação de entrevistas e observações. Como muitas pessoas fascinantes (e fascinadas), os noventa líderes tinham muitas perguntas e respostas. As "entrevistas" tornaram-se mais semelhantes a diálogos exploratórios e os chamados "sujeitos" tornaram-se nossos co-investigadores. Na maioria dos casos, o tópico de liderança foi discutido em três ou quatro horas, em dez casos passamos cerca de cinco dias com o líder (em dois desses casos vivemos realmente com o líder, no seu trabalho, e ficamos conhecendo "sua família" e seus assessores, bem como seu conselho de administração) em uma tentativa de aprender a respeito da cultura organizacional que ele presidia.

Os diálogos foram "não estruturados", isto é, prosseguiram de uma maneira informal e a esmo, e conduzidos apenas vaga e intermitentemente por nós. Conduzimos estas discussões muito à maneira pela qual os perfuradores vão em busca de petróleo. Você procura a melhor posição para a perfuratriz e fica sondando e testando até "encontrar". Depois você fica lá até que o poço seque. Depois, muda-se para um outro lugar. Houve apenas três perguntas feitas a todos os líderes: "Quais são os seus pontos fortes e fracos?", "Houve em sua vida alguma experiência ou evento particular que influenciou sua filosofia ou estilo de administração?" (quase sempre havia), "Quais foram os pontos principais de decisão em sua carreira e como você se sente agora acerca das escolhas que fez?". Essas perguntas foram os pontos centrais, ao redor dos quais girava a discussão toda, e elas eliciaram respostas ricas e cheias de vida. Não existe outra maneira de descrevê-las.

Os entrevistados incluíram William Kieschnick, CEO* da ARCO; Ray Kroc, famoso pela McDonald's; Franklin Murphy, presidente do conselho de administração da Times-Mirror, Inc.; Donald Seibert, presidente do conselho de administração de J. C. Penney; John H. Johnson, editor de *Ebony*; Donald Gevirtz, presidente do conselho de administração do Foothill Group; e James Rouse, presidente do conselho de administração da Rouse Company. O setor público foi muito mais variado: reitores de universidades, o chefe de um órgão importante do governo (Harold Williams, ex-presidente do conselho de administração da Comissão de Valores e Câmbio), treinadores (John Robinson do Los Angeles Rams e Ray Meyer da Universidade de DePaul), regentes de orquestra e líderes de

---

* CEO (*Chief Executive Officer*) equivale ao executivo-chefe.

entidades públicas, como Vernon Jordan, ex-chefe da Urban League. Além disso, também estavam incluídos E. Robert Turner, antigo administrador da cidade de Cincinnati; William Donaldson, presidente da Sociedade Zoológica de Filadélfia; e Neil Armstrong, o primeiro homem na Lua, que personifica o genuíno herói americano.

Foi uma procura de similaridades em um grupo extraordinariamente diverso. Cerca de 30 dos 60 CEOs pertenciam às 200 primeiras empresas da lista da *Fortune*. Os restantes eram de empresas e empreendimentos menores. A idade média (para o grupo Corporate America) era 56, a renda média, $ 400.000 (sem "mordomias"). O número de anos com a empresa era 22,5 e, como CEO, 8,5. Quase todos eram brancos, do sexo masculino, refletindo o legado de machismo no mundo empresarial.* A maioria tinha diploma de curso superior — 25% com mestrado e cerca de 40% com diploma em administração — provando, uma vez mais, a hipótese de que você não precisa de um diploma de administração para vencer. Em suma, com uma exceção, demograficamente não houve surpresas no grupo de CEOs, como grupo, todos correspondiam quase perfeitamente aos vários perfis de liderança empresarial na América.[1] A única surpresa digna de ser mencionada é que quase todos estavam casados com a primeira esposa. E não apenas isso: também eram infatigavelmente entusiastas em relação ao matrimônio como uma instituição.

Do contrário, parecia não haver um padrão óbvio para o seu sucesso. Tinham dominância cerebral direita e esquerda, eram altos e baixos, gordos e magros, expressavam-se bem e mal, eram afirmativos e reticentes, com aparência de sucesso e de fracasso, participativos e auto-

---

*Havia seis mulheres e seis pretos no grupo, mas pelas razões há pouco mencionadas, não foram fáceis de serem achados. Tivemos de fazer esforços especiais para encontrá-los.

Liderança e Autocontrole **23**

cráticos. Havia mais variações do que temas. Mesmo os seus estilos gerenciais eram incansavelmente diferentes. (Um confidenciou que, por natureza, acreditava no "fascismo participativo".) Para aqueles entre nós interessados em padrão, em temas subjacentes, este grupo foi incontidamente frustrador. Mas também deu o testemunho de oportunidades multivariadas que são unicamente americanas.

AS QUATRO ESTRATÉGIAS

Entretanto, determinados a levar nossas "armas conceptuais" para a questão de liderança, vigilantemente dirigimos nossas "armas" à procura de pontos em comum, um processo que por fim levou quase dois anos. E o fizemos muito à maneira de quem decanta vinho ou bateia à procura de ouro, contínua e monotonamente, revisando as entrevistas e notas e testando um conceito para vermos quanto dos dados ele podia conter. Estudamos um por vez. Procuramos ver se havia quaisquer sementes de verdade sobre liderança — o cerne, se você quiser, do comportamento de liderança. Talvez outros procurassem em outro lugar; para nós, desenvolveram-se lentamente quatro temas, quatro áreas de competência, quatro tipos de habilidades humanas, incorporados em todos os nossos noventa líderes:

- Estratégia I: atenção através da visão
- Estratégia II: significado através da comunicação
- Estratégia III: confiança através do posicionamento
- Estratégia IV: a colocação do eu através de (1) autoconsideração positiva e (2) o fator Wallenda

Liderança parece ser a reunião de habilidades possuídas por uma maioria, porém usadas por uma minoria. Contudo, é algo que pode ser aprendido por qualquer pessoa, ensinado a todos, negado a ninguém.

24 LÍDERES

Somente uns poucos liderarão nações, porém um maior número liderará empresas. Muitos mais liderarão departamentos ou pequenos grupos. Os que não são chefes de departamentos serão supervisores. Os que seguem a linha de montagem podem liderar no saguão do sindicato. Como outras habilidades complexas, algumas pessoas começam com capacidades mais plenamente formadas do que outras. Mas o que determinamos é que as quatro "administrações" podem ser aprendidas, desenvolvidas e melhoradas. E, como o vinho de boa qualidade, estas habilidades são a essência destilada de algo muito maior — paz, produtividade e, talvez, a própria liberdade.

Estratégia I:
Atenção Através da Visão

Todos os homens sonham; mas não igualmente.
Os que sonham à noite, nos empoeirados
recessos de suas mentes
Despertam para descobrir que era vaidade;
Mas os que sonham de dia são homens perigosos,
Que podem dar vida a seus sonhos com olhos
abertos para torná-los possíveis.

T. E. Lawrence

Todas as noventa pessoas entrevistadas tinham um *programa de trabalho*, um interesse sem paralelos pelos resultados. Os líderes são os indivíduos mais voltados para resultados em todo o mundo, e os resultados obtêm atenção. Suas visões ou intenções são fortes e atraem as pessoas para elas. A intensidade acoplada ao comprometimento é magnética. E estas personalidades intensas não têm de coagir as pessoas a darem atenção; acham-se tão concentradas no que estão fazendo que, como uma criança completamente absorvida em criar um castelo de areia, atraem os outros.

A visão *apreende*. Inicialmente, apreende o líder, e a administração da atenção também possibilita aos outros entrarem na onda. Visitamos Ray Kroc na "Hamburguer U" em Elk Grove, Illinois, perto de Chicago, onde os empregados da McDonald's podem obter um diploma de "Bacharel em Hamburguerologia com grau em fritas". Kroc contou as circunstâncias de sua visão inicial. Ele já era um fabricante de copos de papel, com tremendo sucesso, quando começou a fabricar máquinas para *milkshake*. Ficou conhecendo os irmãos McDonald, que possuíam uma cadeia de lanchonetes de *milkshake*, e a junção de copos e leite batido produziu a centelha — um fenômeno que hoje conhecemos como McDonald's. Ao ser indagado sobre o que leva a tais noções descobertas acidentalmente, Kroc respondeu, "Não posso dar a impressão de saber o que foi. Com certeza, não é nenhuma visão divina. Talvez seja uma combinação de experiências anteriores, instintos e sonhos. O que quer que tenha acontecido naquele momento, suponho que me tornei um empresário e decidi arriscar tudo".

Um outro dos participantes do levantamento foi Sergiu Comissioná, o renomado regente da Sinfônica de Houston. Durante longo tempo ele se recusou a ser entrevistado, o que era surpreendente em si e por si. Não respondia a cartas; não respondia a chamadas telefônicas. Depois de muitos meses conseguimos entrar em contato com dois de seus músicos. Quando indagados acerca de como era Comissioná, responderam, "Formidável". Mas quando perguntados por quê, vacilaram. Finalmente disseram, "Porque não desperdiça nosso tempo".

Essa simples frase de início pareceu insignificante. Mas quando finalmente o vimos reger e dar aulas magistrais, começamos a compreender o significado pleno

26 LÍDERES

daquela frase "Ele não desperdiça nosso tempo". Tornou-se claro que Comissioná transmite com uma clareza sem limites o que quer de seus músicos. Sabe precisa e enfaticamente o que quer ouvir em um dado momento. Esta fixação, sem desviar a atenção, no resultado — alguns chamam a isto obsessão — somente é possível quando se sabe o que se quer. E isso só pode vir da visão, ou, como disse um membro da orquestra de Comissioná, da "trama de intenções do maestro".

Há um alto e intenso filamento que notamos em nossos líderes — semelhante à paixão de Comissioná pelo tom "certo" — e em qualquer pessoa apaixonada por uma idéia. Algumas vezes ele arde somente dentro da faixa de sua visão, e fora dela esses líderes podem ser sem graça ou interessantes, como qualquer outra pessoa. Mas esta intensidade é a bateria para a sua atenção. E a atenção é o primeiro passo para implementar ou orquestrar uma visão externa para suas próprias ações.

Uma atriz trabalhando em um cenário com um de nossos líderes, neste caso um diretor, comentou sobre ele: "Ele me lembra uma criança brincando... muito determinada... Ele diz, como uma criança, 'Quero isso ou quero aquilo'. Quando explica as coisas, é como uma criança que diz, 'Eu quero que construam um castelo', e o consegue". (O que traz à mente o compositor Anton Bruckner que, pensando em voz alta com sua noiva, exclamou, "Mas, querida, como é que posso arranjar tempo para me casar? Estou trabalhando em minha Quarta Sinfonia".)

As visões que estes vários líderes transmitiram pareciam gerar confiança por parte dos empregados, confiança esta que lhes instilava uma crença de que eram capazes de desempenhar os atos necessários. Estes líderes eram desafiadores, não condescendentes. Edwin H. Land, fundador da Polaroid, disse: "A primeira coisa que você faz naturalmente é ensinar a pessoa a sentir que o empreendimento é manifestamente importante e quase impossível... Isto faz emergir as espécies de impulsos que tornam as pessoas fortes, que as põem numa busca intelectual".

A visão anima, inspira, transforma o propósito em ação. Lincoln Kirstein, fundador do Balé da Cidade de Nova Iorque, disse: "Toda a minha vida tenho tentado aprender como se fazem as coisas. O que eu gosto no balé não é sua aparência bonita. É o método que contém. O balé é sobre como comportar-se". E um de seus sócios mencionou a seu respeito: "Ele tem um poder de concentração que nunca vi. Ele sempre soube o que queria". (É por isso que também se dizia de Kirstein que ele nunca "desperdiça o seu tempo".) Ele disse a respeito de sua casa: "Tudo nesta casa é didático e serve a um propósito". Por falar nisto, seu traje nunca varia: terno preto, meias pretas, gravata preta, camisa branca. Todos os dias. "Há muito tempo calculei que pouparia uma boa quantidade de tempo se fizesse uma escolha adiantada da maneira de me vestir."

A propósito, um dos heróis de Kirstein, um xará, é Abraham Lincoln, décimo sexto presidente dos EUA. Esta escolha de um herói dramatiza o significado da visão: "A superioridade de Lincoln sobre todos os outros estadistas", escreveu ele, "está na dimensão ilimitada de um eu consciente, suas capacidades e condições de colocação... Nisso vemos o eu lincolniano, capaz de retardar-se, falar dubiamente, manobrar, hesitar, comprometer-se, para que o alvo principal de sua própria era fosse alcançado: a preservação da União Federal".

Captem o sentido dramático da admiração de Kirstein pelo presidente Lincoln — "preservação da União Federal". A todo o custo. Vale o sacrifício, mesmo dissimulando. Mas até mesmo visões menos grandiosas parecem ter o mesmo valor para os líderes,

28 LÍDERES

esteja ela ligada a fotografias instantâneas ou a lanchonetes. Estes líderes fazem lembrar uma personagem de Shaw, em *Man and Superman*:[2]

> Este é o verdadeiro prazer na vida, ser usado para um propósito que você reconhece como poderoso; ser a força da natureza e não um pequeno tolo egoísta e inconstante, cheio de doenças e queixas, lamentando que o mundo não se dedica a fazê-lo feliz.
>
> Eu quero estar completamente desgastado quando morrer, porque quanto mais arduamente trabalho mais vivo. Rejubilo-me na vida, por ela própria. Para mim a vida não é um "breve círio". É uma espécie de tocha esplêndida que está em meu poder por um momento, e quero fazê-la queimar tão brilhantemente quanto possível, antes de passá-la às gerações futuras.

Mas a liderança é também uma transação — entre líderes e seguidores. Um não poderia existir sem o outro. Portanto, o que descobrimos foi que os líderes também *dão atenção*, assim como a captam. Embora Comissioná e Land, Kroc e Kirstein sejam figuras que comandam, a interação entre o líder e o liderado é tacitamente muito mais complicada do que o simples comando; eles fazem surgir o melhor, um no outro. Mais tarde discutiremos isto com mais detalhes. Mas, no momento, podemos dizer que a nova liderança sob discussão não é arbitrária nem unilateral, mas antes um movimento sutil e impressionante de energia de um lado para o outro, seja entre o maestro e os músicos, ou entre o CEO e os assessores. A transação cria unidade. Regente e orquestra são unos. Treinador e equipe. Líder e organização. E esse foco unificado é a administração de atenção através da visão.

Estratégia II:
Significado Através da Comunicação

Se você sonha com alguma coisa, pode realizá-la.

Walt Disney

Esta citação de Disney figura alto em uma tabuleta em Epcot, Orlando, Flórida. Embora assinale o Dom Quixote em todos nós, a idéia está incompleta. Acreditar nos sonhos não basta. Há um bocado de visões intoxicantes e um bocado de intenções nobres. Muitas pessoas têm agendas ricas, com anotações importantíssimas, mas sem comunicação nada será realizado.

Como é que você capta imaginações? Como você comunica visões? Como você faz com que as pessoas se alinhem por detrás das metas de uma organização? Como você consegue que aqueles que o ouvem reconheçam e aceitem uma idéia? Os trabalhadores têm de reconhecer e apoiar alguma coisa de identidade definida. A administração de significado, habilidade de comunicação, é inseparável da liderança efetiva.

É interessante que enquanto muitos dos noventa líderes entrevistados eram ótimos comunicadores, havia indivíduos que o eram menos. Todavia, sua falta de palavras não prejudicava seus estilos de comunicação. Um grande empresário de Buffalo é Bill Moog, fundador e chefe da Moog, Inc., fabricante de peças patenteadas essenciais para motores de aeronaves. Moog permanecia silencioso por longos períodos de tempo durante a entrevista. Parecia estar profundamente entranhado em seus próprios pensamentos, e, no entanto, a intensidade de sua aparência comandava. Esta concentração é caracterizada por uma afirmação que ele faz de ter certa vez permanecido acordado durante seis meses, deliberando sobre um problema. Sua esposa, que esteve

30 LÍDERES

com ele durante a entrevista, assentiu com a cabeça e disse, "Bill *não* se deitou durante seis meses. Ocasionalmente ele dormia durante as reuniões, mas nunca se deitou de fato durante este período". Não existe melhor maneira de descrever uma conversa com Moog do que simplesmente citar um trecho de uma delas. Eis um clássico:

P. *Como* você se comunica. . . você, sua pessoa? Porque você parece tão taciturno. . .

R. Algumas vezes não nos comunicamos absolutamente. Poderíamos passar um período de seis meses antes de conversarmos, de um modo ou de outro.

P. Verdade?

R. Mas, de um modo ou de outro, o constructo sempre parece ser entendido. Sabemos o que está acontecendo... sabemos o que se passa. Bastante incomum. (*Longa pausa*) Bem. . . há um elemento de fé e confiança, como eu disse, e há bastante continuidade, de modo que eles sabem o que esperar. Meus padrões. . . (*Longa pausa*).

P. Mas a sua "quietude" não é uma desvantagem, especialmente para os empregados novos?

R. Talvez. Eu não sei. Parece-me que quando tenho um sentimento forte a respeito de alguma coisa, as pessoas sabem disso. Não estou certo de como nem por quê. De tempos em tempos desenho umas figuras e *as envio*, ou então construo um modelo. Quando nos descentralizamos, há dois anos, mandei um modelo da maneira como eu queria que nossa organização se parecesse. Desenhei-o em papel vegetal... o pessoal parece ter compreendido. Fiz a mudança de um modelo de organização para outro — inclusive algumas mudanças físicas — sem perder um dia de produtividade. . .

Assim, parece que, no trabalho, Moog está acostumado a apresentar modelos ou desenhos para fazer-se entender. Seus empregados compreendem a sua intenção, por meio destas idéias "concretizadas". Muitos de nossos líderes tinham um pendor para metáforas, se não para modelos. Comparação, analogia dão vida aos assuntos. Naturalmente, é mais claro falar de um acre como o tamanho aproximado de um campo de futebol do que identificá-lo como 4.047 metros quadrados.

Antes de dirigir *Ordinary People*, Robert Redford sabia relativamente pouco a respeito de cinematografia. Na primeira manhã no cenário, ele reuniu seus seis cinegrafistas e tocou para eles Cânon em Ré, de Pachelbel, a grandiosa música que abre o filme. Redford lhes disse, "Quero que vocês ouçam isto, e pensem sobre como uma cena suburbana se pareceria se correspondesse à música". O que ele estava fazendo, sem se aperceber, é o que os psicólogos chamam de sinestesia, ou seja, transformar um sentido em um outro, como o fez Disney em *Fantasia*.

Do mesmo modo, o presidente Reagan tem um pendor para materializar tópicos abstratos com referências experienciais. A primeira mensagem de orçamento foi uma espécie de obra-prima em que ele objetivou $ 1 trilhão comparando-o com o Empire State Building. Sua capacidade para exprimir graficamente suas idéias é um grande dispositivo de direção. De acordo com uma sondagem feita pela ABC, o número de americanos favoráveis à invasão de Granada pelos EUA *dobrou* imediatamente após a fala explanatória de Reagan.

Inversamente, Jimmy Carter não era convincente em sua capacidade para comunicar-se, o que prejudicou grandemente seu sucesso em comícios. Ironicamente, Carter talvez tenha sido um dos presidentes mais bem informados desde Woodrow Wilson. Mas não é apenas uma questão de informação ou fatos — que podem ser recebidos como uma "avalanche de informações" — é a *forma* de apresentação, o significado global. As inten-

32 LÍDERES

ções do presidente Carter eram colocadas, mas as formas de exprimi-las eram vagas. Uma das pessoas entrevistadas, chefe de gabinete e democrata leal nomeada por Carter, observou como tinha sido difícil trabalhar para ele, porque ela nunca sabia o que ele queria. Quando falava a respeito de Jimmy Carter, evocava uma bonita metáfora própria: "Trabalhar para ele era como olhar para o avesso de uma peça de tapeçaria — borrado e indistinto".

Esta confiança em "alguém" para definir realidade em um grupo é bem ilustrada por uma anedota conhecida, de beisebol. Ocorre na última batida de uma partida decisiva, com 3-2 para o batedor. Vem o arremesso final, o árbitro hesita uma fração de segundo. O batedor vira-se iradamente e diz, "Bem, o que foi que houve?". O árbitro replica, "Não foi nada, até que eu o diga".

Quando Frank Dale assumiu o *Los Angeles Herald-Examiner*, o vespertino de Los Angeles, há alguns anos, estava terminando uma greve sangrenta de dez anos. O prédio estava bloqueado e não tinha sido aberto durante oito anos. Dale, o novo presidente e editor, teve de entrar pelos fundos para cumprimentar seus cansados auxiliares.

Escutem as palavras de Dale:

> Comecei o padrão logo na primeira hora que cheguei. Um novo gerente... Aconteceu que a porta do prédio estava bloqueada. Não tinha sido aberta durante oito anos. Tive de entrar pela porta dos fundos, deixar minhas impressões digitais, ser fotografado. "Bem-vindo à bordo, chefe!". Fui para a sala da redação dentro da primeira hora, e chamei as pessoas que estavam trabalhando, pedindo-lhes que se reunissem ao meu redor para que eu pudesse me apresentar — não dispunha de pessoa alguma para isso...

P. Quer dizer que não pôde entrar pela porta da frente?
R. Certo. O saguão estava bloqueado há oito anos. Hou-

Liderança e Autocontrole **33**

ve uma luta tremenda, pessoas foram mortas, e, por fim, foram alguns empregados que nunca tinham sido sindicalizados e nunca tinham tido relações com um sindicato que, tomando uma cerveja, comentaram uma noite: "Precisamos parar de atirar uns nos outros". Depois, sobre uma plataforma de paz, fizeram os empregados votar para um acordo e, por fim, conseguiram a negociação certa, que foi efetuada. Chamei o pessoal que estava em serviço, ao redor de uma mesa em um ambiente informal — eu não tinha ninguém para me apresentar... Eu mesmo me apresentei, já que iria ficar por lá, e sem qualquer pensamento anterior disse, "Talvez a primeira coisa que devemos fazer seja abrir a porta da frente". Todos ficaram de pé e deram vivas. Homens e mulheres choravam. Tratava-se de um símbolo, não vê? — aquela barricada na porta da frente era um símbolo de derrota, de cerco. E "deixem o sol entrar" era o que eu estava dizendo... E depois, tentei apresentar-me novamente, agradeci a todos por terem preservado a oportunidade de que eu dispunha agora. E foi o que eles fizeram — quando deixei o sol entrar...

Depois de o *Herald-Examiner* ter-se tornado operacional, Dale desenvolveu uma espécie de idéia de míssil como uma metáfora para uma campanha de aumento de circulação. Havia *posters* virtualmente em todas as paredes e em todos os quadros de avisos, mostrando o *Harold-Examiner* (como uma espaçonave) alcançando seu rival matutino, o *Los Angeles Times*. De acordo com esta imagem de "decolagem", a cadeira de seu escritório é equipada com um cinto de segurança, que até hoje ele pacientemente prende.

Podem ser tiradas numerosas lições das experiências de nossos noventa líderes. A primeira, e talvez de maior importância, é que *todas* as organizações depen-

34 LÍDERES

dem da existência de significados e interpretações partilhados da realidade, o que facilita a ação coordenada. As ações e símbolos de liderança estruturam e mobilizam o significado. Os líderes falam e definem o que anteriormente estava implícito ou não tinha sido proferido; depois, inventam imagens, metáforas e modelos, a fim de proporcionar um foco para nova atenção. Agindo assim, consolidam ou desafiam a sabedoria que prevalece. Em suma, um fator *essencial* em liderança é a capacidade para influenciar e *organizar significado* para os membros da organização. (Teremos mais a dizer a este respeito no capítulo da Estratégia II.)

O segundo aspecto a ter em mente é que o estilo e os meios pelos quais os líderes transmitem e moldam significados variam enormemente, desde os exercícios visuais de Redford até os modelos de um Moog, do simbólico "deixem o sol entrar" de um Frank Dale à excêntrica imagem verbal de Edwin Land. Porém, apesar das variações em estilo — quer seja verbal ou não, quer através de música ou de palavras — todo líder de sucesso está cônscio de que uma organização se baseia em um conjunto de significados partilhados que definem papéis e autoridade. Ele ou ela também está consciente de que uma responsabilidade-chave é comunicar o "esquema" que molda e interpreta situações, de modo que as ações dos empregados sejam guiadas por interpretações comuns da realidade.

Finalmente, o que queremos dizer com "significado" vai além do que geralmente se quer dizer com "comunicação". Pelo menos, tem muito pouco a ver com "fatos" ou até com "saber". Fatos e saber têm a ver com técnica, com metodologia, com "saber como fazer as coisas". Isso é útil, até necessário, e inegavelmente ocupa um lugar apropriado no esquema atual das coisas. Mas pensar está enfaticamente mais próximo àquilo que queremos dizer com "significado" do que saber. Pensar prepara uma pessoa para o que tem de ser feito, para o que deveria ser feito. Pensar, embora possa ser inquietante e perigoso para a ordem estabelecida, é construtivo: desafia as velhas convenções ao sugerir novas direções, novas visões. Depender dos fatos, sem pensar, pode parecer seguro, mas no final é perigosamente anticonstrutivo, porque nada tem a dizer sobre *direções*. O papel distintivo de liderança (especialmente em um ambiente volátil) é a busca de *know-why* (saber por quê), antes de *know-how* (saber como). E esta distinção ilustra, uma vez mais, as principais diferenças entre líderes e administradores.

Vamos discutir um pouco mais isto, já que a distinção que estamos tentando traçar tem implicações que vão muito além de liderança, envolvendo outros assuntos ainda mais confusos, como criatividade e estética. Os administradores, em sua maior parte, tratam de um processo mental conhecido como solução de problema. Este envolve um problema, um método e uma solução que decorre do problema e do método. Ocorre um processo mental criativo quando nem o método, nem o problema, sem falar na solução, existe como uma entidade conhecida. Criatividade envolve um "problema descoberto" que precisa ser trabalhado do começo até o fim. A mais alta forma de descoberta sempre exige *descoberta do problema*. Isto é muito parecido com a identificação de uma nova direção ou visão para uma organização. Esta é a diferença que notamos anteriormente entre líderes e administradores; é a diferença entre solucionadores de problemas de rotina e descobridores de problemas.

Mas como se *sabe* se um problema descoberto ou uma idéia criativa têm valor? Como se avalia? Se, por exemplo, uma pessoa decide ir de Los Angeles a Aspen pela rota mais curta, a solução normal do problema é simplesmente encontrar o itinerário que se conforme

36 LÍDERES

melhor aos parâmetros do problema. Mas suponhamos
que uma pessoa perguntasse: É uma boa idéia ir de Los
Angeles a Aspen pela rota mais curta? Então o raciocí-
nio e a lógica teriam dificuldade em emitir uma resposta. Os critérios cognitivos não são suficientes para avaliar soluções criativas. Mas, então, como são elas reco-
nhecidas? Por que os constituintes se alinham por detrás
de uma solução, direção, ou visão, e não outra?

A melhor resposta que podemos dar a essa pergunta é que a aceitação de uma visão — ou qualquer idéia
nova — exige que os empregados (ou qualquer público)
estejam dispostos a dar atenção à suposta contribuição
criativa. Mas precisamos acrescentar logo que a aceitação
de uma idéia nova nunca é determinada unicamente por
sua qualidade. Até as "melhores" idéias são apenas tão
boas quanto sua capacidade de atrair a atenção no ambiente social. As condições desse ambiente — organizações, neste caso — são inerentemente imprevisíveis: podem destruir uma boa idéia com a mesma facilidade
com que destroem uma má.

A chave principal é que a liderança cria um público
novo para suas idéias, porque altera a forma de entendimento transmitindo informação de tal modo que "fixa"
e assegura tradição. A liderança, por transmitir significado, cria uma *comunidade de aprendizagem*, e isso, por
seu turno, é o que são as organizações efetivas.

O que vemos e vivenciamos na paisagem organizacional de hoje são incômodas burocracias que mais freqüentemente traem a *má administração* do significado
do que o contrário. Nasce uma "grande idéia". Delega-se
a responsabilidade. Depois esta é novamente delegada.
Depois é redelegada. Na ocasião em que a "grande idéia"
é executada, é como se nascesse uma criança com seqüe-
las provenientes da ingestão materna de talidomida, e
sem pais — com certeza não corresponde ao que os líderes tencionaram ou previram. Este "efeito Pinocchio" é

a ruína de muitos criadores que, como Geppetto, confrontam-se com versões distendidas, distorcidas, dos planos originais. A falta de clareza faz as burocracias pouco mais do que mecanismos para a evasão de responsabilidade e culpa.

A comunicação cria significado para as pessoas. Ou deveria. É a única maneira pela qual qualquer grupo, pequeno ou grande, pode se alinhar em apoio às metas abrangentes de uma organização. Transmitir a mensagem de forma inequívoca em cada nível é uma chave perfeita. Basicamente, é tudo quanto diz respeito ao processo criativo e que, uma vez mais, distingue os administradores dos líderes.

Estratégia III:
Confiança Através de Posicionamento

Não se pode criar alguma coisa valiosa sem determinação. Nos primórdios da força nuclear, por exemplo, conseguir aprovação para construir o primeiro submarino nuclear — O Nautilus — foi quase tão difícil quanto desenhá-lo e construí-lo. As boas idéias não são adotadas automaticamente. Precisam ser impelidas para a prática com paciência e coragem.

Almirante Hyman Rickover

A confiança possibilita que as organizações operem, funcionando como algo que atenua o atrito natural entre as pessoas. É difícil imaginar uma *organização* sem algum tipo de confiança operando de algum modo, em algum lugar. Uma organização sem confiança é mais do que uma anomalia, não é uma organização, é uma obscura criatura da imaginação de Kafka. Confiança implica responsabilidade final, previsibilidade, segurança.

38 LÍDERES

É o que vende produtos e mantém as organizações florescendo. Confiança é a liga que mantém a integridade organizacional.

Assim como a liderança, é difícil descrever a confiança, quanto mais defini-la. Sabemos quando está presente e sabemos quando não está, e não podemos dizer muito mais a seu respeito, exceto que é essencial e que se baseia na previsibilidade. A verdade é que confiamos nas pessoas que são previsíveis, cujas posições são conhecidas e que assim se mantêm; os líderes em que se tem confiança tornam-se conhecidos, tornam suas posições claras.

Theodore Friend III, o antigo presidente do Swarthmore College, disse-nos como definia liderança:

> Liderança é enfrentar o vento com tal conhecimento de si próprio e tal energia colaboradora que faz com que os outros desejem segui-lo. *O ângulo contra o vento é menos importante do que o fato de escolher um e ater-se intencionalmente a ele*, e essa intencionalidade inclui a disposição para ser carregado por correntes amistosas. [Grifo nosso.]
>
> Os seguidores não se unem por exortação, mas se comprometem pelo exemplo. Em ação e em articulação, liderar exige que uma pessoa saiba para onde está deixando se levar: de ser o que tem sido para o que deseja ser, apesar das ambiguidades e contra as excentricidades inerentes aos ideais.

Note a ênfase do Dr. Friend em *posição*, em saber o que é certo e necessário. Nossos líderes, de uma variedade de maneiras, referiram-se a esse mesmo princípio. Os líderes são confiáveis e incansavelmente persistentes.

Este posicionamento incessante esteve no núcleo do movimento dos direitos humanos de Martin Luther King e foi o incentivo para a cruzada de voto das mulheres, de Susan B. Anthony. Pessoas excepcionais têm feito sacrifícios contínuos, algumas vezes até enfrentando a morte, por causas em que acreditam, porque escolheram um "ângulo" e se ativeram intencionalmente a ele. Por fim, é esta dedicação incessante que engaja a *confiança*.

Uma das primeiras coisas que Ray Kroc fez quando entramos em seu escritório, foi tirar da parede uma declaração emoldurada que havia composto. Era sua mensagem inspiradora predileta e digna de ser reimpressa aqui:

> Nada no mundo pode tomar o lugar da persistência.
> O talento não o fará; nada é mais comum do que homens sem sucesso, com grande talento.
> O gênio não o fará; o gênio não recompensado é quase um provérbio.
> A educação não o fará; o mundo está cheio de desamparados instruídos.
> Só a persistência e a determinação são onipotentes.
>
> Ray Kroc

Cada escritório que visitamos na sede da McDonald's tinha essa mensagem em um quadro e colocada de tal modo que nenhum visitante poderia deixar de vê-la.

Resumindo, o que dissemos até este ponto é que o posicionamento é o conjunto de ações necessárias para implementar a visão do líder. Se a visão é a idéia, então o posicionamento é o nicho que o líder estabelece. Para que este nicho seja conseguido, o líder precisa ser a epítome não apenas da clareza (enfatizada na seção anterior), mas também da constância, da confiabilidade. Estabelecendo a posição — e, mais importante, permanecendo no curso — a liderança estabelece confiança.

De fato, a declaração mais comum feita a respeito dos noventa líderes pelos membros de seu conselho e assessoria, foi que eles eram "todos da mesma massa". Os líderes adquirem e "vestem" suas visões como rou-

40 LÍDERES

pas. Correspondentemente, parecem imbuir-se (e depois os outros) da crença de que seus ideais são factíveis, e seu comportamento exemplifica os ideais em ação.

Algumas vezes a constância pode se imprimir além do ponto de vista. O Papa João Paulo II, cujas posições nem sempre são populares, mantém a sua constância e compostura mais invioláveis do que nunca ao enfrentar a oposição. Quando ele visitou os Estados Unidos em 1981, recebeu uma pergunta hostil, mais ou menos como, "Notei, Sua Santidade, que o Vaticano despendeu uma grande quantidade de dinheiro para construir uma piscina no palácio papal de verão. Sua Santidade pode explicar?". Não respondendo como o estereótipo do candidato político, que tenderia a contornar o assunto com racionalizações tenuemente disfarçadas, como saúde ou dinheiro de fontes privadas, o Papa simplesmente respondeu, "Gosto de nadar. A próxima pergunta?".

O presidente Reagan, cujo lema "manter o curso" revelou ser extremamente cativante, é uma sinfonia na manutenção de sua auto-imagem e constância. Repetidamente ele tem se livrado de inúmeras controvérsias e catástrofes e ainda consegue manter sua dignidade. Enquanto vários membros da sua assessoria disputam, fazem barulho e saem, ele permanece robusto, intato. Sua pressuposição de responsabilidade pela suscetibilidade dos fuzileiros navais em Beirute foi percebida como heróica. Seus cumprimentos ao Reverendo Jesse Jackson ("Não posso argumentar contra o sucesso", disse ele) revelou "bom espírito esportivo". Mesmo a espalhafatosa manipulação da opinião pública, como em seu apoio ao banimento da imprensa do Pentágono de Grenada, foi recebida com avassaladora aprovação (exceto pela imprensa). Embora suas ações sejam questionavelmente "a atitude certa", Reagan compreende que não é necessariamente a direção (o ângulo que você assume) que conta, mas sim ater-se intencionalmente à direção que escolheu. Com relação a isso, Reagan representa coerentemente liderança amadurecida.

Toda liderança exige constância. Alfred P. Sloan proporciona um dos melhores exemplos. Quando foi para a General Motors, esta não possuía política estabelecida. Ele escreveu: "O espaçamento de nossa linha de produtos, de dez carros em sete linhas no início de 1921, revela sua irracionalidade. . . É preciso alguma espécie de racionalidade".[3] Sloan fez a sua reputação e transformou a General Motors em uma grande firma, posicionando-a no mercado. Fez isso reduzindo a linha de produtos para apenas seis níveis de preço e criando novos carros nas categorias de preço baixo, de $ 600 a $ 900. Sem dúvida, Sloan sentiu que posicionar a GM apropriadamente em seu ambiente era uma de suas responsabilidades mais importantes como líder. Apesar de não estarem conscientes disso, os líderes que entrevistamos agiram conforme um velho provérbio chinês: "Se não mudarmos nossa direção, provavelmente acabaremos chegando ao lugar para onde nos encaminhamos".

Existem duas razões terrivelmente importantes para salientar *a administração da confiança através do posicionamento*. A primeira tem a ver com "integridade organizacional". Observamos que uma estrutura organizacional efetiva pode ser comparada a indivíduos saudáveis e é algo observado neles; de fato, é análoga a uma identidade saudável. Mais tecnicamente, supomos que uma organização possua uma estrutura saudável quando tem um senso claro do que é e do que tem de fazer. Esta é uma outra maneira de dizer "escolher a direção e permanecer nela". É também um modo de definir integridade organizacional, e é a ferramenta com a qual os líderes podem compreender e moldar melhor a sua cultura.

42 LÍDERES

Mas a integridade organizacional é mais facilmente definida do que alcançada. Parte do problema é a falta de entendimento das várias subestruturas que todas as organizações, não importando o seu tamanho, contêm. Um bloqueio a nosso entendimento é perpetuado pelo mito da organização como um monolito, um mito reforçado quase diariamente pelos mídia e pela tentação da simplicidade. O mito é não apenas grosseiramente inexato, como também perigoso. Quando, por exemplo, o vespertino anuncia que o Departamento de Defesa ou a Universidade da Califórnia ou a IBM (ou qualquer empresa) seguirá este ou aquele rumo de ação, a dita ação é tipicamente consignada a um único corpo composto, *a* administração. Esta "administração" — cujas partes vibram em harmonia e cujos atos, pelo fato de não termos a oportunidade de examinar o drama humano que leva a eles, parecem sobre-humanos — é mítica. Dentro de cada passo dado *pela* administração, entra um padrão complicado de reuniões, discordâncias, conversações, personalidades, emoções e conexões perdidas. Este processo muito humano é política burocrática. Um processo paralelo é responsável por nossa política externa, pela qualidade de nossas escolas públicas, pela amplitude e tratamento das notícias que os mídia escolhem para nos dar a cada dia.

Nossas percepções da tomada de decisão organizacional, baseadas em tais relatórios e outros estímulos, tendem a enfatizar o *produto* da tomada de decisão; nunca (ou raramente) o *processo*. É claro que o resultado é falso; ocasionalmente é destrutivo. Os elementos de casualidade, ignorância, estupidez, atrevimento e confusão amistosa simplesmente não são levados em conta; parece que são seletivamente ignorados. Assim, é raro que o público veja as centenas de pequenos quadros, de pequenas dificuldades que resultam no estabelecimento de uma política ou em parte de uma estratégia. Vê somente o movimento ou ouve apenas a declaração, e não é sem razão que supõe que tal ação seja o resultado de um processo racional, quase mecânico, em que os problemas são percebidos, as soluções alternativas são pesadas, e as decisões racionais são tomadas. Dada a natureza humana, quase nunca é este o caso.

Para que uma organização tenha integridade, ela precisa ter uma identidade — isto é, um senso de quem é e do que tem a fazer. Talvez uma analogia extraída da teoria da personalidade possa ilustrar, assim como pressagiar o ponto. Toda pessoa é a soma de vários "eus". Se essas unidades da pessoa não estiverem em comunicação, então esta pessoa não poderá manter comunicação válida com os outros. O problema da integridade, que é central para grande parte da literatura contemporânea no campo da saúde mental, pode ser examinado nas organizações compreendendo-se os vários "eus organizacionais" ou estruturas que existem.

Cada organização incorpora quatro conceitos de organização; estes muitas vezes estão um contra o outro, ou existem em alguma coerência forçada. Há a organização *manifesta*, aquela que é vista no "organograma" e é formalmente exibida, ou escondida. Ela mascara a realidade, tanto quanto alegadamente a retrata. Depois há a organização *suposta*, aquela que os indivíduos percebem como existente. Ocasionalmente pedimos aos empregados para exporem seus pontos de vista sobre as maneiras pelas quais as coisas funcionam, visando a captar suas percepções. A discrepância entre seus pontos de vista e o ponto de vista oficial — a organização manifesta — é sempre dramática. Em terceiro lugar, há a organização *existente*, ou a situação conforme é revelada através de investigação sistemática — digamos, por um consultor organizacional, que tenta

44 LÍDERES

conseguir uma "visão objetiva". Finalmente, há a organização *requisito*, ou seja, como a organização pareceria se estivesse de acordo com a realidade da situação dentro da qual existe.

A situação ideal, porém jamais percebida, é aquela em que a manifesta, a suposta, a existente e a requisito estejam alinhadas o máximo possível entre si. Todas as vezes que estes quatro conceitos organizacionais estão em contradição, a cultura organizacional é tal que sua identidade é confusa e a integridade difícil de ser conseguida.

Uma outra analogia útil com a saúde mental aparece nesta discussão. Muitas psicoterapias, senão todas, baseiam suas noções de sanidade mental no grau em que o indivíduo coloca em harmonia os vários "eus" que formam a sua personalidade. A pessoa saudável é vista praticamente como a mesma pessoa pelos outros.

Virtualmente, pode ser usado o mesmo critério para estabelecer a integridade organizacional — isto é, o grau em que a organização mantém harmonia e conhecimento acerca e entre os conceitos de organização manifesta, suposta, existente e requisito. Não é necessário que todos os quatro conceitos sejam idênticos. Ao invés, todos os quatro tipos devem ser reconhecidos e deve-se dar uma margem para todas as tensões criadas por desequilíbrios. É duvidoso que uma organização possa (ou deva) conseguir congruência total. O fator importante é o reconhecimento, uma consciência mais global das confusões e contradições. E isto não pode ser realizado sem posicionamento.

A segunda razão que respalda o significado do posicionamento tem a ver com o "permanecer no curso": constância. Conforme dissemos o tempo todo, a liderança efetiva assume riscos — inova, contesta e muda o metabolismo basal da cultura organizacional. Esta forma de liderança exige aquilo a que o Almirante Rickover se re-

Liderança e Autocontrole   **45**

feriu em uma afirmação citada anteriormente, como "paciência e coragem". Na prática, isto quer dizer "sempre manter-se em um determinado curso". A inovação — qualquer idéia nova — por definição, de início não será aceita, sem importar o quanto tenha de sensacional. Se todos adotassem a inovação, seria difícil levá-la a sério — como uma inovação. Ela faz com que a resistência enrijeça, que a defesa se estabeleça, que se forme a oposição. E qualquer idéia nova parece tola ou impraticável ou inviável — de início. Há necessidade de tentativas repetidas, de infindáveis demonstrações, de ensaios monótonos, antes que a inovação possa ser aceita e internalizada por qualquer organização. Isto solicita poder permanente e, de fato, "paciência e coragem".

Uma das nossas maiores empresas processadoras de alimentos falhou repetidamente em sua tentativa de criar uma mistura para massa de tortas que tivesse boa aceitação. Os testes de mercado, um após o outro, provaram ser um desastre. A cada ano o laboratório aparecia com uma nova receita que não falharia, e a cada ano ela fracassava — literalmente — no mercado, pelo menos nos que eram importantes para teste. Os executivos ficaram tão aborrecidos e queimados com os fiascos anuais que começaram a referir-se à massa como Projeto Lázaro, já que a cada ano parecia haver uma ressurreição da que tinha morrido no ano anterior. Agora, somente porque a empresa persistiu e finalmente obteve sucesso, esta mistura para massa de tortas é seu principal produto, tanto em vendas como em lucros.

Conforme Woody Allen disse certa vez, "Para alcançar sucesso, tudo o que você tem a fazer é mostrar-se 80% do tempo". O mesmo parece ser verdadeiro para as organizações e seus líderes que aprenderam a administrar confiança através de posicionamento.

Pode ser apropriado concluir esta seção com um encantador e inspirado poema de Don Marquis, que

46 LÍDERES

reflete o espírito do posicionamento (e "paciência e coragem"):

A Lição da Mariposa[4]

Eu estava conversando com a mariposa uma noite dessas.
Ela estava tentando entrar dentro da lâmpada elétrica
e morrer queimada no filamento.
"Por que vocês fazem essas coisas?", perguntei-lhe.
"Por que é que as mariposas devem fazer?"
"Ou por que, se fosse uma vela descoberta,
ao invés de uma lâmpada elétrica protegida,
Você seria agora uma cinza quase invisível?
Você não pensa?"
"Muito", respondeu, "mas às vezes ficamos cansadas
de pensar.
Ficamos aborrecidas com a rotina e ansiamos por beleza
e excitamento.
O fogo é bonito e sabemos que se chegarmos muito
perto ele nos matará,
Mas que importa?
É melhor sermos felizes por um momento e
morrermos queimadas pela beleza
Do que vivermos muito tempo e sempre aborrecidas.
Por isso, envolvemos toda a nossa vida em um pequeno
casulo,
E depois o jogamos fora.
Para isso é a vida.
É melhor ser parte da beleza por um único instante
E depois cessar de existir,
Do que existir para sempre e nunca ser parte da beleza.
Nossa atitude para com a vida é
Vir fácil, ir fácil.
Somos como os seres humanos costumavam ser antes de
se tornarem civilizados demais para se divertir".
E antes que eu pudesse argumentar contra sua filosofia
Ela foi e imolou-se em um isqueiro.
Não concordo com ela.
Eu mesmo, preferiria metade da felicidade

E duas vezes a longevidade.
Mas, ao mesmo tempo,
Desejei querer alguma coisa
Tanto quanto a mariposa que queria morrer queimada.

Estratégia IV:
O Posicionamento do Eu Através da
Autoconsideração Positiva

*Quando Yen Ho estava prestes a assumir seus deveres
como tutor do herdeiro de Ling, Duque de Wei,
ele se dirigiu a Ch'u Po Yu para lhe pedir conselho.
"Tenho de lidar", disse ele, "com um homem
de tendências depravadas e assassinas. . .
Como é que se lida com um homem desta
espécie?". "Sinto-me contente", disse
Ch'u Po Yu, "por você ter feito esta
pergunta. . . A primeira coisa que você
deve fazer não é melhorá-lo, mas
sim melhorar-se".*

Estória taoísta da antiga China

*Minha intenção sempre foi chegar ao contato
humano sem forçar autoridade. Afinal de
contas, um músico não é um oficial
militar. O que mais importa é o contato
humano. O grande mistério de fazer música
exige amizade real entre os que trabalham
em conjunto. Cada membro da orquestra
sabe que estou com ele em meu coração.*

Carlo Maria Giulini
Regente, Filarmônica de Los Angeles

Estas duas citações tanto propõem como ilustram o fato
de que a liderança é essencialmente uma questão humana. Tanto as universidades como as empresas deixam de
vê-la dessa forma com seu excesso de ênfase em ferra-

48 LÍDERES

mentas quantitativas formais, problemas sem ambigüidade e casos de "relações humanas" ridiculamente supersimplificados. O que descobrimos é que quanto mais alta a categoria, tanto mais pessoal e humano é o empreendimento. Nossos altos executivos despendiam aproximadamente 90% de seu tempo com os outros e virtualmente a mesma percentagem de tempo preocupados com a confusão dos problemas das pessoas. Nosso estudo de líderes efetivos sugeriu que um fator-chave é o *desenvolvimento criativo do eu*. Discutiremos, no restante deste capítulo, a que isso se refere.

A administração do eu é crítica. Sem isso, os líderes podem causar mais mal do que bem. Assim como os médicos incompetentes, os administradores incompetentes podem tornar as pessoas mais doentes e menos vitais. A palavra "iatrogenia" pode ser útil a este respeito. Refere-se às doenças causadas pelos médicos e hospitais, como efeitos colaterais provenientes de medicações. Igualmente, os administradores tanto podem causar como curar problemas.

Fred Friendly, ex-presidente da CBS News, proporciona um excelente exemplo disso. Ele é "hiper" e assolado por visões que atira a seus ouvintes enervados. Quando indagado se alguma vez tinha tido algum colapso nervoso, respondeu, "Não, mas sou um portador". Assim, embora sempre tenhamos sabido que alguns *administradores* podem causar a si próprios ataques do coração e outros problemas auto-induzidos, o que é ainda mais prejudicial é que eles também podem transmitir aos seus empregados a mesma moléstia. É isso o que queremos dizer com "iatrogenia". O que nos leva à conclusão inexorável de que a liderança efetiva não é menos nobre ou primordial do que o uso criativo (e saudável) do eu de uma pessoa.

Este desenvolvimento criativo do eu torna o ato de liderar, conforme notamos, uma questão profundamente

Liderança e Autocontrole **49**

pessoal. É o que estamos chamando, mais por conveniência do que por precisão, de autoconsideração positiva. Aprendemos o significado desta expressão a partir de uma de nossas três perguntas-padrão: "Quais são os seus principais pontos fortes e fracos?". Na maioria, os líderes enfatizaram seus pontos fortes e tenderam a diminuir ou minimizar seus pontos fracos. O que não quer dizer que não estivessem cônscios de suas fraquezas, mas sim que não as alardeavam. Um dos principais CEOs entrevistados, o Dr. Franklin Murphy, ex-presidente do conselho de administração do império editor Times-Mirror e a própria personificação da autoconsideração positiva, disse que não teve de refletir para recusar quatro convites que o levariam ao gabinete da presidência. "Simplesmente penso que eu não seria bom nesse tipo de trabalho", disse ele.

Talvez seja mais fácil dizer o que a autoconsideração positiva não é, do que aquilo que é. Para começar, não é uma berrante auto-importância nem o egocentrismo que temos em mente. Tampouco é o que comumente se quer dizer com "caráter narcisista". Não havia traço de auto-idolatria ou lisonja em nossos líderes.

Mas eles sabem o que valem. Confiam em si próprios, sem permitir que o seu ego ou imagem se interponha. Uma líder colocou este ponto de vista em termos de auto-respeito. Disse ela,

> Sentir auto-respeito é tudo. Sem ele, nada mais somos do que escravos sem vontade, à mercê de todos, especialmente daqueles a quem tememos ou desprezamos... Você pensa, "Bem, nenhum emprego é suficientemente bom; afinal, se eles me querem, me contratam, como poderiam (ou o cargo) ser bons?". Uma das maiores tiradas de Groucho Marx diz tudo para os que não sentem auto-respeito, "Eu não faria parte de qualquer clube que me aceitasse como membro". Eles se sufocam em auto-reprovação. Para eles, todo

50 LÍDERES

o encontro exige demais e dá muito pouco em troca. Cada carta não respondida se torna um monumento à sua indolência, um epitáfio à sua culpa. Sem auto-respeito, desistimos de nós e fazemos o sacrifício final: *vendemo-nos*!

Reconhecer os pontos fortes e compensar os pontos fracos representa o primeiro passo para conseguir autoconsideração positiva. Os líderes em nosso estudo pareciam saber quais as suas aptidões desde tenra idade. John Korty, o produtor, já fazia e distribuía filmes nos seus anos de curso secundário em Ohio. Claire Townsend já publicava artigos antes de ter vinte anos. O regente James Levine deixava nervosos os maestros mais experientes quando tinha cinco anos, marcando o tempo com a partitura a seu lado, sentado na primeira fila da sala de concertos. Não havia dúvida na mente de Andrew Grove de que mecanicamente ele era precoce, e sabia que desejava "entrar em engenharia" logo cedo. A maioria de nossos líderes sabia, desde cedo, que eram bons com as pessoas e que, quando assumiam papéis de liderança, tinham sucesso.

Logo, o primeiro fator é a capacidade de reconhecer pontos fortes e compensar os fracos. O *segundo elemento na autoconsideração positiva é nutrir as habilidades com disciplina* — isto é, conservar-se trabalhando e desenvolvendo os próprios talentos. Muitos dos líderes, embora nem todos, eram atletas ou atléticos, e ávidos por conseguir retroinformação e todas as formas de avaliação acerca de seu desempenho. Como atletas, regularmente estabeleciam metas e objetivos para si mesmos, com base em desempenhos passados. Nas palavras de Don Gevirtz, presidente do conselho de administração do Foothill Group, uma instituição de crédito: "Depois do primeiro milhão eu sabia que podia triplicá-lo em menos de um ano". Antes que a Intel alcançasse a cifra de $ 1 bilhão em vendas, seu presidente, Andrew Grove, elevou a meta para $ 1,5 bilhão.

Mas não é principalmente ao lucro e prejuízo ou ao retorno do investimento que queremos nos referir. É à capacidade de desenvolver e melhorar suas habilidades que distinguiam líderes de seguidores. Eles pareciam ser responsáveis por sua própria evolução e até podiam ser chamados apropriadamente de "auto-evolucionários".

Também deveria ser dito que embora não haja substituto para realização, os líderes não precisam ser excepcionais em tudo. Mas as limitações não podem ser ignoradas. Um traço que começa como um pouco mais do que um problema emocional pessoal pode tornar-se trágico pela repetição, de modo que os líderes efetivos aprendem a compensar suas imperfeições antes que elas passem a ser perigosas. Na realidade, as deficiências podem ser usadas para ampliar a base de liderança. Um dos melhores exemplos é Will Clarkson, atualmente Secretário de Finanças do Estado de Nova Iorque (quando entrevistado era presidente do conselho de administração e CEO da Graphic Controls, Inc.). Sentindo, muito corretamente, que suas habilidades se baseavam em seu talento para alta tecnologia e não em relações humanas — conforme disse, "Sou um sujeito ligado a 'fatos', não a 'pessoas' " — começou a freqüentar seminários sobre relações públicas e contratou um consultor que o ajudou em suas "habilidades com pessoas". Depois de dois anos, começou uma série de seminários sobre habilidades de comunicações interpessoais, as quais ele ensinou a si próprio. Atualmente é um líder extraordinariamente bem equilibrado.

Tipicamente, os executivos efetivos formam uma assessoria que cobre e compensa suas fraquezas percebidas, ou não aceitam o cargo. Isto conduz ao terceiro aspecto da autoconsideração positiva, *a capacidade para discernir o ajustamento* entre suas habilidades percebidas e o que o cargo exige. Foi o que aconteceu com

52 LÍDERES

Franklin Murphy, que não titubeou em recusar uma alta posição no governo.

Muitas vezes os critérios convencionais consignam (incorretamente) à boa oportunidade o que atribuímos a este terceiro elemento da autoconsideração positiva, o ajustamento entre as forças pessoais e os requisitos organizacionais. O que na verdade acontece — e aprendemos isso revisando detalhadamente as trajetórias de carreira dos noventa líderes — é que eles pareciam "saber" quando um determinado cargo exploraria totalmente seus pontos fortes e quando suas qualidades únicas já não eram mais relevantes (ou poderiam até ser prejudiciais) à organização. Pareciam saber intuitivamente, para citar o cantor sertanejo Kenny Rogers, "quando conservar-se firme e quando desistir". Sua oportunidade dependia mais de sua capacidade de discernir o ajustamento dos pontos fortes às necessidades, do que qualquer outra coisa.

Uma maneira instrutiva de considerar as forças e as fraquezas é como se fossem "matérias-primas" ou meios necessários para um plano artístico. Um indivíduo com aspirações trabalha diligentemente com todas as suas características e potencialidades pessoais, inclusive suas falhas, até que tudo apareça como um trabalho de arte que, como o disse um dos noventa, "delicia o olhar". O resultado final é um estado de auto-satisfação e uma integridade fértil que podem conceber e levar avante grandes idéias.

Podemos resumir o que queremos dizer com autoconsideração positiva. Consiste nos três componentes principais: conhecimento das próprias forças, capacidade de nutri-las e desenvolvê-las, e capacidade de discernir o ajustamento entre os pontos fortes e os fracos e as necessidades da organização. Uma outra maneira de pensar a respeito da autoconsideração positiva, à medida que esta se relaciona especificamente ao trabalho e aos cargos é esta: os indivíduos que a possuem são bons em seus cargos; têm as habilidades necessárias. Gostam do seu trabalho, que satisfaz às suas necessidades e motivos básicos. E, finalmente, orgulham-se do seu trabalho; ele reflete seu sistema de valores.

O *resultado* mais extraordinário da autoconsideração positiva foi uma surpresa para nós, posto que, retrospectivamente, talvez devêssemos ter previsto seu efeito mais atordoante. O que observamos foi que os nossos noventa líderes induziam (a partir de sua própria autoconsideração) uma *alter*consideração positiva em seus empregados. E isto é um fator central em sua capacidade para liderar. Irwin Federman, presidente e executivo da Monolithic Memories, uma das empresas de mais sucesso e alta tecnologia do Vale do Silicone, ilustra isto de forma brilhante na seguinte citação:

> Se você pensar a respeito, as pessoas gostam das outras não pelo que elas são, mas pelo que nos fazem sentir. Desejamos seguir os outros exatamente pela mesma razão. Fazer isso nos faz sentir bem. Ora, também seguimos os pelotões dos sargentos, os gênios autocentrados, esposas exigentes, chefes de vários tipos e outros, por uma variedade de outras razões. Mas nenhuma dessas envolve as qualidades de liderança dessa pessoa. Para aceitar de *boa vontade* a direção de um outro indivíduo, *precisamos* sentir que é bom fazer isto. Fazer uma outra pessoa se sentir bem em qualquer momento de suas idas e vindas diárias é, em meu ponto de vista, a própria essência da liderança.

Uma outra ilustração desse mesmo ponto, porém dita de uma maneira ligeiramente diversa, veio de uma entrevista com James Rouse, famoso por seus projetos e edificações para cidades. Quando se sentiu insatisfeito com a aparência de alguns conjuntos residenciais em seu projeto de Colúmbia, Maryland, tentou influenciar o projeto subseqüente, inspecionando e corrigindo sua equipe de

54 LÍDERES

arquitetos. Não chegou a ponto algum. Então, decidiu deixar de "corrigi-los" e procurou influenciá-los, instigando-os a realizar o melhor trabalho do mundo, demonstrando o que queria, *quais os seus objetivos*. Inspirados pela visão de Rouse, os arquitetos começaram a criar alguns dos conjuntos residenciais mais bonitos e funcionais do país. O que isso ilustra é que a autoconsideração dos líderes é *contagiosa*.

Mais dois exemplos: nos primeiros tempos da Polaroid, Edwin Land continuamente inspirava sua equipe para "conseguir o impossível". A autoconsideração positiva de Land convenceu seus administradores de que eles não podiam falhar. Quando William Hewitt assumiu a John Deere and Company em meados da década de 1950, transformou uma linha ultrapassada de velhos implementos agrícolas em uma líder entre as modernas empresas multinacionais. Seu segredo era sempre perguntar, "Não podemos fazer isto um pouco melhor?". E os empregados melhoravam cada vez mais. Conforme disse um antigo empregado da Deere, "Hewitt nos fez aprender como éramos bons".

Raramente, se alguma vez, os líderes com autoconsideração positiva têm de contar com a crítica ou sanções negativas, quer liderem uma grande empresa multinacional, uma orquestra sinfônica ou uma equipe de futebol. O treinador John Robinson, do Los Angeles Rams, disse-nos que *nunca* critica seus jogadores até que eles estejam convencidos de sua confiança *incondicional* em suas capacidades. *Depois* que isso é conseguido, ele pode dizer (se descobrir alguma coisa que possa ajudar um jogador), "Olhe, você está 99% formidável, mas há esse fator de 1% que poderia fazer uma diferença. Vamos trabalhar nisso". Quando ele era treinador da USC, disse a Marcus Allen, então um júnior que depois se tornou um dos maiores jogadores da National Football

League, algo parecido com isso, mas só dois anos depois de ter ganho a confiança de Allen.

Irwin Federman, citado acima, parece dizer tudo isso em algumas frases irrefutáveis:

> Nosso potencial individual é um derivado direto de nossa auto-estima, o que quer dizer sentir-se bem a nosso próprio respeito. Se passarmos a nos considerar mais positivamente, então passaremos a esperar mais de nós mesmos... Este processo de crescimento resulta em metas mais agressivas, maiores expectativas, e daí, realizações mais ousadas. Se você acredita no que estou dizendo, não pode deixar de chegar à conclusão de que aqueles que você seguiu apaixonadamente, com alegria e confiança, fizeram *você* se sentir *alguém*. Não foi simplesmente porque tinham o cargo, ou o poder... de algum modo fizeram com que você se sentisse muito bem por estar ao seu lado.

A autoconsideração positiva parece exercer a sua força criando nos outros um senso de confiança e altas expectativas não muito diferentes do afamado efeito Pigmalião. Quando Ian McGregor assumiu a presidência do conselho de administração da British Steel Corporation, sua primeira ordem de trabalho foi restaurar o moral da administração intermediária. "Sempre trabalhei a partir do princípio", disse ele, "de que é muito importante para o diretor de uma empresa saber como motivar". Ele não podia oferecer a seus executivos as recompensas financeiras costumeiras de empresas altamente lucrativas, mas podia proporcionar motivação formando sua independência e confiança. "As pessoas começaram a sentir que administravam uma parte da empresa", disse ele. "Eles têm maior oportunidade de mostrar sua capacidade".

A autoconsideração positiva está relacionada à maturidade, mas preferimos a expressão "sabedoria emocional". Esta última soa muito como o ponto em que

56 LÍDERES

uma pessoa supera seu comportamento infantil. Mas os nossos líderes pareciam reter muitas das características da criança: entusiasmo pelas pessoas, espontaneidade, imaginação e capacidade ilimitada para aprender novo comportamento. A sabedoria emocional, como passamos a entendê-la, reflete-se na maneira pela qual as pessoas se relacionam com as outras. No caso de nossos noventa líderes, eles usaram cinco habilidades primordiais:

1. A capacidade de aceitar as pessoas como elas são, não como você gostaria que fossem. De certo modo, isto pode ser visto como o pico da sabedoria — "estar na pele" de alguma outra pessoa, entender o que elas são em *seus* próprios termos, ao invés de julgá-las.

2. A capacidade de abordar relacionamentos e problemas em termos do presente e não do passado. Certamente é verdade que podemos aprender pelos enganos passados. Mas usar o presente como um ponto de partida para tentar cometer menos enganos pareceu ser mais produtivo para os nossos líderes, e é certo que isso foi psicologicamente mais salutar do que repisar sobre coisas passadas.

3. A capacidade de tratar os que estão perto de você com a mesma atenção cordial que você concede a estranhos e a pessoas que conhece casualmente. A necessidade desta habilidade muitas vezes é óbvia — e está ausente — nos relacionamentos com a nossa própria família. Mas é igualmente importante no trabalho. Tendemos a tomar por certos aqueles de quem estamos mais perto. Muitas vezes nos acostumamos tanto a vê-los e ouvi-los que perdemos a capacidade de escutar o que eles estão realmente dizendo, ou deixamos de apreciar a qualidade — boa ou má — do que estão fazendo. Os sentimentos pessoais de amizade, hostilidade, ou simples indiferença

interferem.

Existem dois aspectos neste problema de excesso de familiaridade. O primeiro é o de não ouvir o que está sendo dito: a surdez seletiva leva a mal-entendidos, concepções errôneas, enganos. O segundo é a retroinformação que deixamos de proporcionar para indicar nossa atenção.

4. A capacidade de confiar nos outros, mesmo quando o risco parece grande. A permanência da confiança é muitas vezes necessária para a autoproteção. Mas o preço é muito alto se significa estar sempre em guarda, suspeitando constantemente dos outros. Até mesmo uma superdose de confiança, que ocasionalmente envolve o risco de ser enganado ou desapontado, a longo prazo é mais prudente do que partir do princípio de que as pessoas são, em sua maioria, incompetentes ou falsas.

5. A capacidade de agir sem a aprovação e o reconhecimento constante dos outros. Particularmente em uma situação de trabalho, a necessidade de aprovação constante pode ser nociva e contraproducente. Não deve ser realmente uma questão do número de pessoas que *gostam* do líder. O importante é a qualidade do trabalho que resulta da colaboração com ele. O líder emocionalmente sábio compreende que esta qualidade sofrerá quando for dada ênfase indevida a ser "um bom sujeito". Mais importante é o fato de que assumir riscos constitui grande parte do trabalho do líder. E os riscos, por sua própria natureza, não podem ser agradáveis a todos.

A autoconsideração positiva pode não ser encontrada em todos os lugares ou em tantos lugares quantos gostaríamos de ver. E ainda não está claro como é adquirida — embora tenhamos mais a dizer a este respeito em nosso capítulo final. Uma coisa que se nos tornou clara é que entender e possuir autoconsideração positiva não

58 LÍDERES

produz cegueira para as qualidades menos desejáveis dos seres humanos; contudo, ela estabelece padrões para se pensar sobre as possibilidades humanas. É, talvez, um modo de desenvolver uma *atmosfera* de excelência, de grandeza.

Tanto para concluir esta seção como para indicar a epítome da autoconsideração positiva e seus efeitos, citaremos o Maestro Carlo Maria Giulini, falando a respeito de seus anos como regente da Filarmônica de Los Angeles:

> Neste caso, penso que posso dizer que nesta pequena ilha que chamamos de Filarmônica, compreendi o estado da verdadeira *civilità* — civilidade considerada entre iguais. Espero que não tenha sido uma ilusão. Nunca tive de dizer uma palavra negativa. Mesmo em situações delicadas, expliquei os meus pontos de vista para a orquestra. Não os impus. *A resposta certa, se forçada, não é o mesmo que a resposta certa que resulta da convicção.* [Grifo nosso.]

O Desenvolvimento do Eu Através do Fator Wallenda

Andar sobre a corda é viver;
tudo o mais é esperar.

Karl Wallenda (malabarista), 1968

A maioria das pessoas não acredita realmente em sucesso. Sentem-se desamparadas até mesmo antes de começar. Os brancos não estão mantendo os pretos por baixo. Eles não estão nos impedindo de obter empregos ou educação. Temos o poder para fazer isso em nossa sociedade. Portanto, não podemos culpar o sistema por tudo. É o medo do fracasso que se interpõe no caminho.

John H. Johnson
Editor de *Ebony*

Talvez a qualidade mais marcante e memorável dos líderes que estudamos tenha sido a maneira pela qual responderam ao fracasso. Como Karl Wallenda, o grande malabarista — cuja vida entrava em jogo cada vez que ele andava sobre a corda — estes líderes colocam todas as suas energias em suas tarefas. Eles simplesmente não pensam em fracasso, nem mesmo usam a palavra, recorrendo a sinônimos tais como "engano", "escorregão", "trabalho malfeito", ou inumeráveis outros como "partida falsa", "confusão", "mixórdia", "revés", "recuo" e "erro". Nunca *fracasso*. Um deles disse, durante uma entrevista, que "um engano é apenas uma outra maneira de fazer as coisas". Um outro disse, "Se possuo uma das formas da arte da liderança, esta consiste em cometer tantos enganos tão rapidamente quanto possa, a fim de aprender". Um se lembrou da famosa máxima de Harry Truman, "Todas as vezes que tomo uma decisão de má qualidade, simplesmente parto para outra depois".

Pouco depois da queda fatal de Wallenda, em 1978 (andando em uma corda esticada a 25 metros de altura no centro de San Juan, Porto Rico), sua esposa, que também era malabarista, discutiu o fatal espetáculo de San Juan, "talvez o seu espetáculo mais perigoso". Lembrou-se: "Tudo em que Karl pensava três meses antes desse espetáculo, sem parar, era em *cair*. Esta foi a primeira vez que ele pensou nisso, e parecia-me que ele punha todas as suas energias em *não cair*, ao invés de andar na corda". A Sra. Wallenda acrescentou que seu marido chegou até a ir inspecionar a instalação da corda, para ter certeza de que os tirantes estavam firmes, "coisa que ele nunca tinha pensado em fazer antes".

Das coisas que aprendemos a partir das entrevistas com os líderes de sucesso, tornou-se cada vez mais claro que quando Karl Wallenda concentrou suas energias em *não cair*, ao invés de andar na corda, ele se destinou vir-

60 LÍDERES

tualmente ao fracasso.

Um exemplo do fator Wallenda veio em uma entrevista com Fletcher Byrom, que recentemente se aposentou da presidência da Companhia Koppers, uma empresa diversificada de engenharia, construção e produtos químicos. Quando indagado sobre a "decisão mais difícil que havia tomado em toda sua vida", respondeu:

> Não sei o que é uma decisão difícil. Posso ser um animal estranho, mas não me preocupo. Todas as vezes que tomo uma decisão, começo por reconhecer que há uma forte probabilidade de que esteja errando. Tudo o que posso fazer é o melhor possível. A preocupação coloca obstáculos no caminho do pensamento claro.

Ou consideremos Ray Meyer — talvez o treinador que tenha ganho mais jogos universitários de basquete, que deu à Universidade de DePaul quarenta e dois anos consecutivos de temporadas de vitória. Quando sua equipe perdeu sua primeira partida depois de vinte e nove vitórias seguidas, fomos visitá-lo para saber como se sentia. Sua resposta refletiu o amadurecimento do fator Wallenda: "Muito bem! Agora podemos começar a nos concentrar em ganhar, *não* em perder". Meyer reenquadrou para nós o que agora mencionávamos como o fator Wallenda, a capacidade de atacar metas positivas, de concentrar as energias na tarefa, não em olhar para trás e procurar desculpas para eventos passados.

Para uma grande quantidade de pessoas, a palavra "fracasso" traz em si uma finalidade, a ausência de movimento que é característica de uma coisa morta, para a qual a reação humana automática é o desencorajamento irremediável. Mas para o líder de sucesso, o fracasso é um começo, o trampolim da esperança.

São abundantes os exemplos de nossa pesquisa. O prefeito Tom Bradley de Los Angeles, depois de indagado sobre sua derrota em sua campanha para governador, disse:

> Sim, naturalmente fiquei desapontado com o resultado da eleição, em vista da pequena diferença com que perdi. Mas não foi a primeira vez em que perdi uma competição. Eu sempre volto. Estou sempre lá. Não vejo qualquer motivo para mudar agora. Com certeza não tenho a intenção de me retirar da política. Manterei minhas opções abertas. E uma opção para mim seria concorrer novamente para governador — em 1986.

Depois há Harold Prince, o produtor da Broadway. Ele convoca regularmente uma entrevista com a imprensa na manhã seguinte à estréia de suas peças — antes de ler as críticas — a fim de anunciar os planos para a sua *próxima* peça.

Talvez nosso melhor exemplo do fator Wallenda seja o de William Smithburg, o presidente do conselho de administração da Quaker Oats. Depois de dois grandes "enganos", dos quais ele assumiu a responsabilidade — a aquisição em 1982 de uma pequena empresa de jogos de vídeo, logo depois fechada, e da pequena empresa francesa de acessórios para animais de estimação, que comprou e depois deu por perdida, disse ele (em uma reunião com sessenta de seus distribuidores de produtos alimentícios), "Não há um administrador nesta empresa que não tenha estado ligado a um produto que não logrou êxito. Isto inclui a minha pessoa. É como aprender a esquiar. Se você não cair, não estará aprendendo".

A tensão aqui, integrada por estes líderes, é a de *fracasso* em contraposição à *aprendizagem*. Conquanto não possamos dizer que eles louvaram o fracasso, com certeza parecem tê-lo aproveitado. Usaram a energia que brotou do paradoxo para alcançar metas mais elevadas. Quase todo "passo em falso" foi considerado como uma

62 LÍDERES

oportunidade e não como o fim do mundo. Estavam convencidos de que podiam aprender — e, mais importante, de que suas organizações podiam aprender — como conseguir sucesso em tudo o que assumissem como a sua visão.

Muitas vezes a lição de uma atitude positiva é aprendida pela experiência, como no caso de Harold Williams. Quando perguntado sobre a experiência mais formativa que o havia moldado como líder, contou uma história em que foi deixado de lado quando a Norton Simon, Inc. escolheu um novo presidente:

> E eu fiquei com muita raiva e realmente desapontado com a estupidez óbvia das pessoas envolvidas na escolha, verdadeiramente "curtindo" minha mágoa e sentindo pena de mim mesmo... Um dia eu estava conversando com um velho amigo, pouco tempo depois disso, e contei-lhe o que ocorrera. Ele me olhou e disse, "Você já parou para pensar por que eles poderiam estar certos?". Não pude dizer que sim, mas naquele momento parei e pensei. E quando pude olhar e começar a escutar — talvez houvesse razões que comprovassem que eles estavam certos. Esta foi a experiência mais importante que tive, e então... claro que pude compreender... e a partir daí... aprendi algumas coisas. Da outra vez, não me deixaram de lado.

A crítica é um subproduto freqüente de ações significativas. A receptividade à crítica é tão necessária quanto detestável. Ela testa como nenhuma outra coisa os fundamentos da autoconsideração positiva. E quanto mais válida a crítica, mais difícil é recebê-la.

Os populares seminários de Werner Erhard recebem tanta atenção, que é inevitável que algumas críticas sejam afrontosas e algumas vezes infundadas. Eis o que ele fala sobre resposta à crítica:

> Para mim está muito claro que uma pessoa falha em sua própria integridade quando pára a fim de enfrentar um

Liderança e Autocontrole   **63**

ataque — quando o "ataque" tem tal efeito que você pára a reunião. Conheço muitas pessoas que se sentiram abaladas pela crítica. Sua conversa [subseqüente] fica repleta de respostas à crítica que ninguém no ambiente atual está expressando. Portanto, a primeira coisa é: *não pare para enfrentar o ataque.*

Contudo, isso deixa a possibilidade de se ignorar o ataque que, sob meu ponto de vista, é igualmente prejudicial, já que leva à falta de integridade. De algum modo, o ataque tem de ser recebido... aceito — mas, por aceitar não quero dizer "concordar". Quero dizer "permitir" que apareça, uma vez que tenha de existir.

Depois, a pergunta se torna, "Como posso usá-lo? Como este ataque me movimenta nesta trajetória?". E muitos ataques têm nos impedido de cometer enganos que, do contrário, teríamos cometido. Isto acontece, por exemplo, ao sermos atacados por algo que estávamos deixando de fazer, ou que não sabíamos fazer! Podemos achar que um determinado rumo seja o mais apropriado a seguir, e podemos até estar um pouco propensos a seguir nessa determinada direção, de modo que o ataque tem alguma validade genuína.

Agora, sobre os ataques que estão certos... Estes são os mais difíceis... difíceis de dizer, "Sim, está certo. Sou um tolo. Cometi um engano". Porque sempre, ou pelo menos na maioria das vezes, eu estou em pleno processo de corrigir meus enganos. Na verdade, mesmo quando estou lidando com isso (aceitando críticas), algumas vezes lido com o processo de tal forma que evite confrontá-lo! Por isso, *os ataques válidos são muito úteis, porque constituem uma oportunidade para completar o relacionamento de uma pessoa com a sua própria falha.*

O fator Wallenda refere-se basicamente à aprendizagem, que é uma generalização da palavra "tentar". E toda aprendizagem envolve um pouco de "falha", algo a partir do qual uma pessoa pode continuar a aprender. Com efeito, podemos propor uma regra geral para todas as organizações: "A falha razoável não deve ser recebida com ira". Spinoza enunciou um princípio muito pareci-

64 LÍDERES

do com este. Disse que a mais alta atividade que um ser humano pode atingir é a aprendizagem, ou, em sua linguagem, o entendimento. Entender é ser livre. Ele argumentava que os que respondem à falha de outros com a ira são os próprios escravos da paixão e nada aprendem.

Tom Watson, fundador da IBM e inspiração orientadora da empresa durante mais de quarenta anos, pôs este princípio de Spinoza em funcionamento há vários anos, provavelmente sem conhecer a fonte de sua ação. Um promissor executivo júnior da IBM estava envolvido em um empreendimento arriscado para a empresa e conseguiu perder mais de $ 10 milhões nesse jogo. Foi um desastre. Quando Watson chamou o jovem executivo ao seu gabinete, o jovem balbuciou, "Creio que o senhor quer que eu me demita?". Watson disse, "Você não pode estar falando sério. Acabamos de gastar $ 10 milhões para educá-lo!".

Embora liderar seja um "trabalho" para o qual os líderes são muito bem pagos, suas recompensas — e o que eles verdadeiramente valorizam — advém do senso de aventura e jogo que a liderança lhes impõe. Em nossas entrevistas, descrevem o trabalho à maneira do cientista: "explorar um novo espaço", "solucionar um problema", "projetar ou descobrir alguma coisa nova". Como exploradores, cientistas e artistas, eles parecem focalizar a atenção em um campo limitado — sua tarefa — esquecendo problemas pessoais, perdendo o sentido do tempo, e sentindo-se competentes e no controle. Quando estes elementos se acham presentes, os líderes verdadeiramente apreciam o que estão fazendo e páram de se preocupar se a atividade será produtiva ou não, se suas atividades serão recompensadas ou não, se o que estão fazendo funcionará ou não. Estão andando sobre a corda, como o malabarista.

Estamos agora no ponto em que podemos *juntar* os dois elementos da administração do eu em uma teoria unificada. Tanto a autoconsideração positiva como o fator Wallenda estão associados basicamente às conseqüências. No caso da autoconsideração, as perguntas básicas são: Quão competente *eu sou?*, Tenho "a habilidade apropriada"? O fator Wallenda diz respeito principalmente à percepção que se tem da *conseqüência do evento*. Se exprimirmos estes dois fatores de um modo negativo, poderemos elucidar nossa teoria. As pessoas podem desistir de tentar porque duvidam seriamente que consigam fazer o que é preciso. Esta é a autoconsideração negativa. Ou elas podem estar certas de sua competência, mas desistem de tentar porque acham que seus esforços não produzirão quaisquer resultados. É como se Karl Wallenda tivesse decidido não se equilibrar na corda por causa das condições do vento ou em virtude de ela ter sido mal esticada.

Um outro exemplo poderia ajudar. Os motoristas que não se julgam aptos para andar por estradas sinuosas conjurarão conseqüências de desastre e ferimentos corporais, ao passo que os que estão plenamente confiantes de sua capacidade para dirigir terão uma visão clara do caminho, ao invés de amontoados de ferragens de desastre.

O fator Wallenda tem menos a ver com o julgamento de uma pessoa sobre auto-eficácia do que sobre o julgamento da *conseqüência* do evento. Nos ambientes organizacionais, a expectativa de sucesso (tome como exemplos um grande investimento de capital ou uma grande aquisição) muitas vezes pode estar dissociada do julgamento de uma pessoa sobre competência pessoal. Em suma, a autoconsideração está ligada ao julgamento da competência de uma pessoa, ao passo que o fator Wallenda relaciona-se a conseqüências extrínsecas. Os resultados esperados muitas vezes são parcialmente distintos dos julgamentos de autoconsideração quando as conseqüências extrínsecas são fixas, por exemplo, para

66 LÍDERES

um nível mínimo de desempenho, como quando um nível determinado de produtividade no trabalho ocasiona um pagamento fixo, mas o desempenho mais elevado não ocasiona benefícios monetários adicionais.*

		NEGATIVA	POSITIVA
AUTOCONSIDERAÇÃO	POSITIVA	**II** Protesto Mágoa Mudança de Carreira	**I** Liderança Efetiva
	NEGATIVA	**III** Resignação Apatia	**IV** Autodesvalorização Desânimo

Figura 2   Fator Wallenda (Julgamento de Conseqüências).

Para que ocorra liderança de sucesso é preciso haver uma fusão entre autoconsideração positiva e otimismo quanto a uma conseqüência desejada. E este foi claramente o caso de nossos líderes efetivos. O que pareceu estar presente em nossos noventa líderes é uma coisa sobre a qual temos ponderado de tempos em tempos, uma feliz fusão entre trabalho e divertimento. Semelhante a uma linha de um poema de Robert Frost, "onde o amor e a necessidade são unos". Concluímos que os grandes líderes são todos como o arqueiro Zen, que desenvolve suas habilidades até o ponto em que o desejo de atingir o alvo se extingue, e homem, seta e alvo se tornam componentes indivisíveis do mesmo processo. Isso é bom para líderes. E quando este estilo de influência funciona para atrair e dar às pessoas a força para caminhar com

---

* Para esta análise, somos gratos ao trabalho de Albert Bandura.[5]

CONCESSÃO DE PODER: A VARIÁVEL
DEPENDENTE

Para liderar
É preciso seguir.

Lao Tzu

Agora chegamos à pergunta mais relevante: Qual é o efeito deste estilo de liderança sobre a força de trabalho? Fizemos uma insinuação a este respeito em nosso parágrafo precedente, de modo que não deve surgir como uma surpresa que os líderes tanto criam como também apreendem. Dito de outra maneira, *eles dão poder aos outros para traduzir intenção em realidade e sustentá-la.* Isto não quer dizer que os líderes devem abdicar do poder, ou que os seguidores precisem continuamente contestar a autoridade. Significa que o poder precisa tornar-se uma unidade de troca — algo ativo e variável em transações criativas, produtivas e comunicativas. No final os líderes efetivos colherão a safra humana de seus esforços pela simples ação do poder recíproco: *concessão de poder.* Isto coloca a dualidade em *movimento* — poder para conceder poder, poder para respaldar poder. Quase à maneira do regente e dos músicos ou líderes e subordinados, um apoiando o outro, formando um crescendo de vozes harmoniosas, uma manifestação maravilhosa do esforço humano. Esta reciprocidade cria o seu próprio ritmo, sua própria vitalidade e momento.

O essencial em liderança organizacional é que o estilo do líder *atraia* ao invés de *impulsionar* as pessoas. Esse estilo de influência funciona atraindo e energizando as pessoas para uma excitante visão do futuro. Motiva

68 LÍDERES

por identificação, e não através de recompensas e punições. Os líderes com que falamos articulam e incorporaram os ideais na direção dos quais a organização está dirigindo seus esforços. Eles se impregnam (e aos outros) de uma visão de que o ideal é realizável e que vale a pena.

Liderar é uma responsabilidade, e a efetividade desta responsabilidade está refletida nas atitudes dos liderados. Descobrimos que estas atitudes consistem de quatro dimensões críticas da força de trabalho, a que nos referimos como concessão de poder.

Antes de chegarmos à dimensão da concessão de poder, pode ser útil aprender a respeito do caminho incomum que seguimos para entender esse conceito. Foi depois de nossa entrevista final com Harold Williams. Ele tinha deixado recentemente a presidência do conselho de administração da SEC e estava em seu novo escritório no alto de um arranha-céu em Century City, Los Angeles. Ele estava refletindo sobre suas experiências em Washington e orgulhosamente exibia um livro com seus discursos, que seus assessores tinham mandado encadernar em uma bonita capa de couro, por ocasião de sua partida da SEC. As inscrições no interior da capa eram reveladoras:

Foi um grande divertimento! Ralph

Trabalhar com você foi uma das minhas melhores experiências profissionais. Elas perdurarão até muito depois de seu trabalho na Comissão ter terminado. Amy

Você nos considerou e nos compreendeu de um modo singular e, durante o processo, deu significado e importância a nossas vidas profissionais. Mark

Algumas vezes foi fácil; muitas vezes não. Sempre foi uma experiência de aprendizagem e amadurecimento. Você nos ensinou a respeito de julgamento ponderado e da necessidade de termos um sentido dos tempos — como cultivá-lo e como transmiti-lo. Sempre foi divertido! Obrigado! George

A oportunidade de trabalhar com você foi uma bela forma de pós-graduação para mim. Espero que, para você, o trabalho tenha sido tão agradável e estimulante como o foi para mim. Dan

Se examinarmos cuidadosamente o que os assessores de Williams inscreveram no interior da capa, de certo modo desvendaremos o mistério da concessão de poder. Para Mark é *significado*. Quase exatamente como os demais membros da assessoria que ficamos conhecendo, ele sentiu que sua presença estava fazendo diferença, tanto para a organização como para o contexto maior do mundo. Descobrimos que o líder efetivo parecia capaz de criar uma visão que dava aos trabalhadores a sensação de estarem nos centros ativos da ordem social. Tais "centros" nada têm a ver com a geometria, nem com técnicas administrativas populares. O que fazem é levar a organização (e a sua força de trabalho) a concentrar-se em atos sérios. Estes consistem de áreas na sociedade onde suas principais idéias e instituições se juntam para criar uma arena na qual têm lugar os eventos que afetam mais vitalmente as vidas das pessoas. É um envolvimento com tais arenas e com os eventos importantes que nelas ocorrem que "traduz as intenções em realidade". Não é o apelo popular ou a loucura inventiva que temos em mente, mas estar perto da essência das coisas, seja isso "a colocação de um produto como batatas fritas Frit-o-lay na pequena mercearia em Leadville, Colorado", segundo as palavras de Wayne Calloway, presidente da Frit-o-lay, ou a participação de Neil Armstrong na primeira viagem à Lua.

O segundo componente da concessão de poder é a *competência*, significando desenvolvimento e aprendizagem no trabalho. Conforme Dan (acima) disse — e como ouvimos repetidamente — o trabalho "foi uma

70 LÍDERES

boa forma de pós-graduação". Este senso crescente de perícia e horizontes sempre novos melhoraram o desempenho e o alinhamento com as metas organizacionais.

Em terceiro lugar, os trabalhadores sentiram qualquer coisa relacionada com "família", com *comunidade*. Sentiram-se juntos em algum propósito comum. Embora isto não transpareça nitidamente através das homenagens a Williams, estava lá, na maneira como percebiam a organização. Não estamos falando necessariamente sobre a questão de "gostarem um do outro". Antes, o que temos em mente é um senso de confiança recíproca para uma causa comum. Este componente inclui o que um executivo na Intel chamou de "a ocasional manifestação divina que ocorre quando um esforço altamente complicado é bem coordenado e completado".

O quarto aspecto da concessão de poder, o *júbilo*, ou apenas *divertimento*, transparece em quase todos os elogios a Williams e em declarações de inumeráveis outros membros das organizações onde efetuamos entrevistas. Isto deve pôr à margem todas as especulações de que uma pessoa deve liderar utilizando-se da punição sempre iminente ou, simplesmente, da ameaça permanente. As velhas teorias da motivação classificavam as respostas para a satisfação das necessidades básicas em inatas e aprendidas. Sugeriam que se pode auferir prazer somente de um número finito de experiências e objetos. Por conseguinte, a vida deve ser inerentemente penosa, porque os recursos escassos do prazer levam à concorrência, e somente muito poucos conseguem mais do que satisfação intermitente. Todas as teorias do comportamento que reduzem o prazer e o divertimento à satisfação de necessidades, sejam elas de economistas ou de behavioristas, chegam à mesma conclusão — que as necessidades jamais podem ser totalmente satisfeitas. Não precisamos falar sobre as situações destrutivas e até *desesperadas* que este paradigma produziu.

Entretanto, através da concessão de poder, os trabalhadores parecem imersos em seu jogo de trabalhar, de tal forma que se esquecem das necessidades básicas por longos períodos de tempo. Vemos pessoas envolvidas em diversas atividades atribuídas à sua função que não proporcionam quaisquer das recompensas que os teóricos da "redução de necessidade" julgam inevitáveis. Se isto é verdade, como acreditamos, quase qualquer objeto ou experiência pode tornar-se prazeiroso, ou é, pelo menos, potencialmente agradável. Esse prazer não depende de recursos escassos. Assim, a concessão de poder melhora não apenas a qualidade do trabalho, como também a qualidade da própria vida.

PLANO PARA IMPLEMENTAÇÃO

Os quatro próximos capítulos estão organizados em torno de cada um dos quatro temas principais levantados, que abrangem nossa teoria da liderança transformadora e concessão de poder. Começando agora, nossa ênfase passará do líder como um indivíduo com certos atributos pessoais, para o líder de uma organização. Falando de maneira mais precisa, nosso enfoque mudará da efetividade do líder para a efetividade da organização. Correspondentemente, nossos próximos quatro capítulos se dirigirão à implementação de nossa teoria, ou, mais simplesmente, como os líderes tornam as organizações poderosas.

Assim, por exemplo, o próximo capítulo se concentrará em como uma organização *cria* uma *visão obrigatória* do futuro, enquanto o capítulo sobre a Estratégia II mostrará como a *administração de significado* se traduz na arquitetura social necessária que pode capacitar a organização para realizar verdadeiramente esta visão. O capítulo a seguir levanta a questão de como *posi-*

72 LÍDERES

cionar a organização corretamente no mundo exterior e como o líder elabora e controla os relacionamentos com os principais constituintes em um ambiente complexo, ambíguo e incerto. O capítulo sobre a Estratégia IV diz respeito à questão da *aprendizagem organizacional*, o correlato organizacional da *administração do eu*.

Note que cada um dos capítulos seguintes, em maior ou menor extensão, relaciona-se e estrutura-se sobre cada um dos temas arrolados neste capítulo. *Visão*, por exemplo, é o foco de estudo para o capítulo sobre a Estratégia I. No capítulo da Estratégia II visaremos à *administração de significado*, da qual surgirá a arquitetura social que, por seu turno, possibilitará à organização formar a sua visão.

O ajustamento entre efetividade de líder e efetividade de organização nem sempre é perfeito, naturalmente, mas há inúmeras analogias, e acreditamos ser importante manter esta visão dualista sempre em mente.

O importante a ter em mente no restante do livro é que nada serve melhor a uma organização — especialmente durante as épocas de dúvidas e incertezas agoniantes — que a liderança que sabe o que quer, comunica essas intenções, posiciona-se corretamente e dá poder à sua força de trabalho. Porém, embora essas leis soem simples, sua implementação exige certas habilidades. Estas técnicas são o assunto dos capítulos seguintes.

Estratégia I:
Atenção Através da Visão

*Tanto o Sr. Durant como o Sr. Ford tinham uma visão,
coragem, ousadia, imaginação e antevisão incomuns.
Ambos jogaram tudo no futuro do automóvel, numa
época em que eram feitos menos carros em um ano
do que agora se faz em alguns dias... Ambos criaram
instituições grandes e duradouras.*

Alfred P. Sloan, Jr.

Eu tenho um sonho.

Martin Luther King, Jr.

Quando William Paley assumiu a CBS em 1928, com 27 anos de idade, ele não possuía estações próprias, estava perdendo dinheiro e era insignificante numa indústria completamente dominada pela NBC. Dentro de dez anos a CBS tinha 114 estações e estava ganhando $ 27,7 milhões. Mais de quarenta anos depois, com Paley ainda na direção, a CBS era a força predominante na indústria da radiodifusão. David Halberstam descreveu da seguinte forma a capacidade de Paley:

74 LÍDERES

Os anos críticos foram os primeiros. O que ele tinha desde o princípio era um senso de visão, um senso do que poderia ser. Era como se ele pudesse sentar-se em Nova Iorque, em seu diminuto escritório, com sua empresa quase falida, e ver não apenas a sua escrivaninha ou a fila de anunciantes potenciais ao longo da Avenida Madison, mas milhões de americanos no interior, tantos, quase sós, muitos deles em lares ainda sem eletricidade, pessoas sozinhas quase sem outra forma de entretenimento a não ser o rádio. Era esta percepção, sua confiança de que podia alcançá-los, de que podia fazer alguma coisa por eles, que o tornava diferente. Podia visualizar a audiência numa época em que de fato não havia audiência. Ele não apenas tinha a visão, mas sabia como usá-la; sabia que quanto maior a audiência, maior o benefício para a rede, porque isso significaria que muito mais anunciantes participariam... Quanto maior a audiência, tanto mais tempo ele podia vender. Para atingir essa meta, tinha algo a oferecer — na verdade, dar — tornando seus programas disponíveis para estações afiliadas.[1]

Repetidamente, os líderes nos disseram que tinham feito as mesmas coisas quando assumiram a direção de suas organizações: deram atenção ao que estava se passando, determinaram que parte dos eventos que estavam ocorrendo seria importante para o futuro da empresa, estabeleceram uma nova direção, concentraram a atenção de todos na organização. Logo descobrimos que este era um princípio universal de liderança, tão verdadeiro para regentes de orquestra, generais do exército, treinadores de futebol e superintendentes escolares, quanto para líderes empresariais. Mas se tudo isso parece tão simples, deve haver um senão. De que maneira os líderes sabem o que é importante para o futuro de suas organizações, e como escolhem as novas direções? É isso o que precisamos examinar; antes, porém, temos de discutir por que pensamos que o princípio funciona e por que é tão fundamental para a liderança efetiva.

VISÃO E ORGANIZAÇÕES

Para escolher uma direção, primeiramente um líder deve ter desenvolvido uma imagem mental de um estado futuro possível e desejável da organização. Esta imagem, que chamamos de *visão*, pode ser tão vaga quanto um sonho ou tão precisa quanto o estabelecimento de meta ou missão. O ponto crítico é que essa visão articula uma perspectiva de um futuro realista, plausível, atrativo para a organização, uma condição que é melhor, sob certos aspectos importantes, do que há atualmente.

Uma visão é um alvo. Quando John Kennedy estabeleceu a meta de colocar um homem na Lua em 1970, ou Sanford Weill quis fazer da American Express a líder mundial das empresas de investimento bancário em cinco anos, ambos estavam focalizando a atenção em realizações factíveis e que valiam a pena. Note também que uma visão sempre se refere a um estado *futuro*, uma condição que presentemente não existe e nunca existiu antes. Com uma visão, o líder proporciona a ponte de máxima importância do presente para o futuro da organização.

Para compreendermos por que esta visão é tão central para o sucesso da liderança, precisamos apenas refletir sobre as razões que levam à formação das organizações. Uma organização é um grupo de pessoas empenhadas em um empreendimento comum. Os indivíduos entram no empreendimento na esperança de receberem recompensas por sua participação. Dependendo da organização e dos indivíduos envolvidos, as recompensas poderiam ser altas em termos econômicos, ou dominadas por considerações psicológicas — *status*, auto-estima, senso de realização, existência significativa. Assim como o indivíduo deriva recompensas de

76 LÍDERES

seu papel na organização, do mesmo modo a organização deriva suas recompensas do fato de encontrar um nicho apropriado na sociedade maior. As recompensas da organização também poderiam ser econômicas (lucros, crescimento, acesso a recursos) e/ou psicológicas (prestígio, legitimidade, poder e reconhecimento).

Portanto, de um lado uma organização busca maximizar as recompensas de sua posição no ambiente externo e, do outro, os indivíduos na organização procuram maximizar sua recompensa gerada pela participação na organização. Quando esta tem um senso claro de seu propósito, direção e estado futuro desejado, e quando esta imagem é amplamente compartilhada, os indivíduos são capazes de encontrar seus próprios papéis na organização e na sociedade maior da qual fazem parte. Isto concede poder aos indivíduos, assim como *status*, porque podem ver-se como parte de um empreendimento digno. Adquirem um senso de importância à medida que são transformados de robôs seguindo cegamente as instruções, para seres humanos empenhados em um empreendimento criativo e com propósitos definidos. Quando os indivíduos julgam que sua atuação é necessária e que podem melhorar a sociedade em que estão vivendo através de sua participação em uma organização, então é *muito mais* provável que empreguem vigor e entusiasmo em suas tarefas, e que o resultado de seu trabalho seja mutuamente reforçador. Nestas condições, as energias humanas da organização estão alinhadas para um fim comum, sendo assim satisfeito um importante pré-requisito para o sucesso.

Os consultores muitas vezes relatam que podem sentir esta energia quase desde o primeiro momento em que entram em uma empresa. Esta se encontrava presente na Polaroid, quando Edwin Land liderou a

Estratégia I: Atenção Através da Visão **77**

firma para uma nova era da fotografia, e na Sears, Roebuck and Co., quando foi tomada a decisão de tornar-se uma grande empresa financeira. A energia assume a forma de entusiasmo, comprometimento, orgulho, boa vontade para trabalhar arduamente e "estar sempre à frente". Está notavelmente ausente em alguns dos grandes conglomerados, onde cada mês se informa aos empregados que a administração está entrando ou saindo de um determinado negócio — ou, mais provavelmente, não tem realmente certeza da direção para onde caminha.

Uma visão compartilhada do futuro também sugere medidas de efetividade para a organização e para todas as suas partes. Ajuda os indivíduos a distinguirem entre o que é bom ou mau para a organização, e o que vale a pena desejar conseguir. E, da maior importância, possibilita distribuir largamente a tomada de decisão. As pessoas podem tomar decisões difíceis sem ter de apelar para os níveis mais elevados a cada vez, porque sabem quais são os resultados finais desejados. Assim, em um sentido muito real, o comportamento individual pode ser moldado, dirigido e coordenado por uma visão do futuro em que há concessão de poder e participação.

Conforme disse John Young, chefe da Hewlett-Packard, "as empresas de sucesso têm um consenso, desde a cúpula até as bases, sobre um conjunto de metas globais. A mais brilhante estratégia de administração falhará se não houver este consenso".[2]

Temos aqui uma das distinções mais claras entre o líder e o administrador. Concentrando-se numa perspectiva única, o líder opera sobre os *recursos emocionais e espirituais* da organização, sobre seus valores, comprometimento e aspirações. Em contraste, o administrador opera sobre os *recursos físicos* da organização, sobre seu capital, habilidades humanas, matérias-primas e tecnologia. Qualquer administrador competente pode possibili-

78 LÍDERES

tar que as pessoas na organização ganhem para viver. Um administrador excelente pode providenciar para que este trabalho seja feito produtiva e eficientemente, seguindo-se o cronograma e com um alto nível de qualidade. Mas fica a cargo do líder efetivo ajudar as pessoas a sentirem orgulho e satisfação em seu trabalho. Os grandes líderes muitas vezes impulsionam seus seguidores a altos níveis de realização, mostrando-lhes como seu trabalho contribui para fins significativos.

É um apelo emocional para algumas das necessidades humanas mais fundamentais — a necessidade de ser importante, de fazer diferença, de sentir-se útil, de ser parte de uma empresa de sucesso e de valor.

Com todos estes benefícios, poder-se-ia pensar que as organizações teriam muito cuidado em criar uma imagem clara de seu futuro desejado, mas não parece ser este o caso. Ao invés, as visões de muitas organizações estão fora de foco e não têm coerência. As razões para isso são inúmeras.

- Nas últimas décadas, foram dadas novas interpretações importantes ao papel da família, à qualidade de vida, à ética de trabalho, à responsabilidade social da empresa, aos direitos das minorias, e a muitos outros valores e instituições que até então eram considerados duradouros e permanentes.
- As telecomunicações e o transporte rápido tornaram o mundo cada vez mais interdependente em termos de produtos, idéias, empregos e recursos.
- O ritmo acelerado de inovação levou à especialização de técnicos e a problemas maciços envolvendo sua coordenação.
- A boa vontade geral de experimentar novas formas e normas sociais dividiu a sociedade em vários estilos de vida, cada qual com suas próprias preferências de produto.
- Os trabalhadores estão buscando e conseguindo muito

Estratégia I: Atenção Através da Visão **79**

mais voz ativa nas decisões que certa feita eram território exclusivo da administração.

Todas estas forças, e outras mais, contribuem para a complexidade crescente que vemos no mundo atual. Isto, por sua vez, cria grande incerteza e uma superabundância de imagens conflitantes em muitas organizações. Quanto maior a organização, tanto maior o número de imagens que ela provavelmente irá adquirir, mais complexas suas interações e mais rápida sua mudança de ênfase no decorrer do tempo.

Tudo isto tende a confundir e conduzir à miopia organizacional. Ao mesmo tempo, tende a tornar a visão mais imperativa para o sucesso funcional, já que sem uma percepção coerente do futuro, estas forças conspiram a sua fragmentação, em todas as direções. Isto explica, por exemplo, por que Thornton Bradshaw foi tirado da ARCO, para restaurar o enfoque e o sentido de propósito da gigantesca RCA. Tendo começado com rádio, televisão e comunicações, a RCA derivou para campos tão diversos quanto aluguel de automóveis e serviços financeiros, sob uma sucessão de presidentes, até que ficou quase paralisada por imagens conflitantes sobre a direção a seguir. Mas, de onde vem a visão do líder?

DAR ATENÇÃO:
O LÍDER À PROCURA DE VISÃO

Os historiadores tendem a escrever sobre os grandes líderes como se estes possuíssem gênio transcendental, como se fossem capazes de criar suas visões e um senso de destino a partir de alguma misteriosa força íntima. Talvez isto seja válido para alguns, mas examinando-se de perto, geralmente se percebe que a visão não foi originada a partir do líder, mas sim de outras pessoas. Por

80 LÍDERES

exemplo, Harold Williams nos disse que quando chegou à UCLA para assumir sua nova posição como diretor da Escola Superior de Administração, "foi realmente a congregação que concluiu sobre o que deveríamos fazer. Era dela a visão". Outros líderes procuraram em outros lugares. John Kennedy passou grande parte do tempo lendo livros sobre História e estudando as idéias de grandes pensadores. Martin Luther King, Jr. encontrou muitas de suas idéias no estudo de ideologias religiosas e éticas, bem como nas tradições de seu próprio povo, além de outros povos. Lênin foi grandemente influenciado pelo pensamento de Karl Marx, da mesma maneira que diversos líderes empresariais contemporâneos são influenciados pelos trabalhos de economistas de renome e professores de administração. As visões de Alfred P. Sloan para o futuro da General Motors foram grandemente moldadas pelo paradigma cultural — o "Sonho Americano" e o papel do capitalismo nesse sonho. Steve Jobs na Apple e Edwin Land na Polaroid foram capazes de desenvolver suas visões dos processos lógicos, principalmente procurando os limites técnicos das tecnologias conhecidas.

Em todos estes casos, o líder pode ter sido o que escolheu a imagem dentre aquelas que estavam disponíveis no momento, articulou-a, deu-lhe forma e legitimidade, e enfocou nela a atenção, mas raramente foi o líder que concebeu a visão. Por conseguinte, o líder precisa ser um ouvinte muito bom, particularmente daqueles que advogam novas imagens da realidade emergente. Muitos líderes estabelecem canais formais e informais de comunicação para terem acesso a estas idéias. A maioria dos líderes também passa uma parte substancial do seu tempo interagindo com conselheiros, consultores, outros líderes, professores, planejadores, inúmeras outras pessoas, tanto dentro como fora de suas organizações, nesta busca. Constatamos que os líderes de sucesso são *grandes indagadores* e muito atentos.

Consideremos um exemplo típico. Suponhamos que você tenha sido solicitado a gerenciar um banco regional que opera no Estado da Califórnia. O conselho de administração indicou-o para o cargo, em resultado de seu sucesso em um banco menor de um outro Estado. Como você desenvolverá um senso de direção nestas novas circunstâncias? A que aspectos você dará atenção, e como, para poder desenvolver uma visão apropriada do futuro? Basicamente há três fontes das quais se pode procurar orientação: o passado, o presente e as possíveis imagens alternativas do futuro. Vamos considerar cada uma delas por vez.

O Passado

Um modo óbvio de começar é refletir sobre suas próprias experiências com outros bancos, a fim de identificar analogias e precedentes que poderiam aplicar-se à nova situação. A seguir, você conversará com os líderes em outros bancos visando a conhecer suas experiências com abordagens diferentes. Com certeza você vai querer conhecer a história do banco para o qual vai, de modo que possa ficar sabendo como ele atingiu seu *status* atual e que qualidades contribuíram para seus sucessos e falhas no passado. Você conseguirá isso conversando com uma vasta variedade de seus novos colegas, no nível alto e baixo da organização.

À medida que você fizer isso, estará construindo um modelo mental do que funcionou e do que não funcionou em bancos semelhantes, no passado. Você estará identificando algumas tendências de longo prazo — digamos em experiências com depósitos ou empréstimos — que poderiam ser projetadas para o futuro como uma primeira aproximação de para onde o banco se encaminha, se continuar como no passado. Você reunirá pensa-

82 LÍDERES

mentos sobre como o desempenho do banco esteve ligado aos indicadores externos — digamos, o estado da economia, taxas de juros, ou desenvolvimento da comunidade local. E, naturalmente, dará atenção a todos os dados históricos de que puder lançar mão, a fim de compreender melhor o que este determinado banco tentou fazer no passado, o quanto foi bem-sucedido e por quê.

O Presente

Há muito a aprender sobre o futuro, olhando ao seu redor para ver o que está ocorrendo agora mesmo. Por exemplo, se você pensar sobre o ano de 1995, sobre a maioria dos edifícios, estradas, cidades, pessoas, empresas e órgãos do governo que existirão, então você já "estará lá". O presente proporciona uma primeira aproximação aos recursos humanos, organizacionais e materiais dos quais o futuro será formado. Estudando estes recursos, é possível desenvolver uma compreensão das restrições e das oportunidades de seu uso, e as condições sob as quais podem crescer, declinar, interagir ou autodestruir-se. Como banqueiro, você dará muita atenção a seus atuais administradores e seu potencial para desenvolvimento, à clientela existente e às oportunidades para expandir os serviços que lhe são oferecidos, à localização de suas filiais, às carteiras de empréstimos existentes e, ainda, ao que seus concorrentes estão fazendo.

Existem sinais precoces de mudança iminente, todos ao seu redor. Seus pesquisadores de mercado, por exemplo, devem ser capazes de identificar mercados crescentes, nos estágios iniciais de desenvolvimento. Os planos dos políticos e dos líderes empresariais muitas vezes são largamente divulgados. As sondagens de opinião pública documentam os valores e necessida-

Estratégia I: Atenção Através da Visão **83**

des mutáveis, e os levantamentos especiais em seu próprio campo de serviços financeiros amiúde são reportados na imprensa especializada. De fato, a monitoração das tendências a fim de proporcionar aviso em tempo hábil é uma indústria grande e crescente nos Estados Unidos. Finalmente, você pode conduzir pequenos experimentos em seu próprio banco. Suponhamos que você esteja considerando um novo enfoque do banco na direção de, digamos, empréstimos a pequenas empresas, profissionais liberais, ou indústrias variadas. Você pode estabelecer uma filial ou uma pequena divisão com instruções para dedicar todas as suas energias nas áreas escolhidas, durante algum período de tempo, assim como uma empresa de produtos químicos desenvolve uma fábrica-piloto antes de assumir um grande compromisso. Com efeito, você criou um laboratório para experimentar a sua nova visão.

O Futuro

Sua visão do banco, conforme indicamos, terá de ser estabelecida em algum tempo futuro, de modo que você precisa estudar as condições que na ocasião podem prevalecer. Na realidade, embora ninguém possa predizer quais serão essas condições, existem muitos indícios. Algumas fontes de informação já foram discutidas — tendências de longo prazo, particularmente em demografia e uso de recursos; documentos de planejamento nos níveis internacional, nacional, estadual e empresarial; as intenções e visões daqueles que definem a política em todas as espécies de organização; sondagens de opinião pública; e as delimitações básicas de fenômenos que se espera que cresçam muito no futuro. Porém, ainda existem algumas fontes de informação.

84 LÍDERES

Você poderia procurar indícios estruturais quanto ao futuro. Por exemplo, poderia concluir que a menos que o governo proceda à inversão de suas recentes decisões de desregulamentação, novos e fortes concorrentes continuarão a entrar no serviço bancário, e ocorrerá uma grande reestruturação da indústria. Você poderia, então, considerar os tipos de mudanças e comprometimentos estruturais que estão sendo feitos por alguns destes concorrentes potenciais — Sears, Roebuck and Co., American Express, Prudential, e assim por diante — e criar um cenário de como ficará o mercado, se forem feitas todas essas mudanças. Você poderia, então, examinar as implicações de tal cenário para grupos específicos de clientes, para a economia em geral, para a comunidade de investimento, e, por fim, para o ramo bancário e o seu banco em particular.

Além dos indícios estruturais, você poderia obter previsões de todas as espécies, a fim de estudá-las: projeções econômicas, análises demográficas, todas as espécies de previsões da indústria, e trabalhos semelhantes. Você poderia explorar algumas das idéias intelectuais que podem moldar o futuro: trabalhos filosóficos, romances de ficção científica, plataformas de partidos políticos, e livros dos principais sociólogos, cientistas políticos e futurologistas. Existem arautos dos futuros desenvolvimentos tecnológicos em pesquisa nos laboratórios de pesquisa e desenvolvimento, trabalhos técnicos apresentados em seminários e congressos, e relatórios do governo.

Assim, longe de estar sem informação, é provável que você esteja cercado de informações sobre o futuro, embora somente uma pequena parte proporcione pontos de referência ou sinais úteis que orientem o desenvolvimento de sua visão para o banco. É na *interpretação* destas informações que se encontra a arte da liderança. Assim como o historiador procura tirar pilhas de informações sobre o passado e formar uma interpretação das forças que podem ter atuado, o mesmo faz o líder, selecionando, organizando, estruturando e interpretando informações sobre o futuro, na tentativa de construir uma visão que seja crível e viável. Mas o líder tem uma vantagem distinta sobre o historiador, porque muito do futuro pode ser inventado ou projetado. Sintetizando uma visão apropriada, o líder influi na criação do próprio futuro.

VISÃO SINTETIZADORA:
A ESCOLHA DE DIREÇÃO PELO LÍDER

Todos os líderes com os quais falamos pareciam ser mestres em selecionar, sintetizar e articular uma visão apropriada do futuro. Mais tarde, ficamos sabendo que esta era uma qualidade comum dos líderes, que existia há muitas eras. Consideremos, por exemplo, como um biógrafo contemporâneo de Napoleão, Louis Madelin, o descreveu:

> Ele tratava de três ou quatro alternativas ao mesmo tempo e tentava conjurar cada eventualidade possível — preferivelmente a pior. Esta antevisão, fruto da meditação, geralmente lhe permitia estar pronto para qualquer revés; nada jamais o tomou de surpresa... Sua visão, como disse, era capaz tanto de amplitude como de profundidade. Talvez a característica mais surpreendente de seu intelecto tenha sido uma combinação de idealismo e realismo, que lhe deram margem para enfrentar as visões mais exaltadas, assim como as realidades mais insignificantes. E, com efeito, em um sentido ele era um visionário, um sonhador. [3]

A tarefa de sintetizar uma direção apropriada para a organização é complicada pelas muitas dimensões da visão

86 LÍDERES

que podem ser necessárias. Os líderes necessitam de *antevisão*, de modo que possam julgar como a visão se ajusta à maneira como o ambiente da organização pode evoluir; *retrovisão*, para que a visão não viole as tradições e a cultura da organização; *uma visão mundial*, dentro da qual possam interpretar o impacto de possíveis novos desenvolvimentos e tendências; *percepção em profundidade*, de modo que o quadro todo possa ser visto em detalhe e perspectiva apropriados; *visão periférica*, de modo que as possíveis respostas, dos concorrentes e outros que estão no jogo, à nova direção possam ser compreendidas; e um processo de *revisão*, de modo que todas as visões previamente sintetizadas sejam constantemente revistas, à medida que o ambiente se altera.

Além disso, precisam ser tomadas decisões quanto ao horizonte apropriado de tempo a ter em vista, quanto à simplicidade ou complexidade da imagem, à extensão em que representará continuidade com o passado, em contraposição a uma transformação radical, ao grau de otimismo ou pessimismo que ela conterá, seu realismo e credibilidade, e seu impacto potencial na organização.

Se houver um indício de genialidade na pessoa que exerce a função de liderança, este precisa centrar-se nesta capacidade transcendental, uma espécie de mágica, para formar — a partir de toda uma variedade de imagens, sinais, previsões e alternativas — uma visão claramente articulada do futuro, que é imediatamente simples, fácil de entender, claramente desejável e energizante.

Voltemos agora ao nosso exemplo do banco para ver o que poderia estar envolvido. Até este ponto, sugerimos como, sendo novo líder, você poderia coletar todas as espécies de informações que proporcionam matéria-prima para uma nova visão do futuro. Já que a visão não pode ser ilimitada, e deve ainda merecer crédito por parte do pessoal na organização, você terá de

Estratégia I: Atenção Através da Visão 87

traçar alguns limites. A visão deve ser projetada no tempo e no espaço além das fronteiras das atividades comuns de planejamento em um banco, mas não deve estar muito distanciada da capacidade de realização dos envolvidos. Talvez você decida enfocar uma meta de dez anos, bastante longa, para permitir mudanças realmente dramáticas e ainda dentro da compreensão e aspirações de carreira de grande parte da atual força de trabalho. Talvez, igualmente, você deseje ir além das fronteiras das operações correntes para incluir grandes e novos campos de atividade, como planejamento financeiro pessoal ou serviço bancário internacional, ou enfocar uma vasta gama de serviços para um ou mais mercados-alvo específicos, como a indústria de alta tecnologia.

As verdadeiras fronteiras escolhidas também dependerão muito dos valores. Seus próprios valores determinarão quais as alternativas que você considera seriamente e a forma como são avaliadas. Por exemplo, Harold Williams atualmente chefia a Fundação e Museu J. Paul Getty, porém seus valores foram formados durante uma carreira brilhante na indústria, na universidade e no serviço público. Logo, não é de surpreender que ele esteja guiando a Fundação Getty em direção à preservação e concessão de bolsas de estudo, bem como tenha prometido não permitir que a vasta fortuna de Getty seja usada para tornar os preços de obras de arte tão altos que os outros museus se vejam incapazes de adquirir novos trabalhos ou servir aos seus públicos.

Os valores das demais pessoas no banco, refletidos na ideologia que prevalece, também sugerem limites à amplitude de mudança que razoavelmente se poderia esperar. Os valores, por exemplo, poderiam ditar que, qualquer que fosse a visão para o futuro do banco, deveria se enfatizar mais qualidade e excelência de serviço, do que lucro e ampliação de serviços.

88 LÍDERES

Dispondo de informações e algumas delimitações para se nortear, você procurará entender as alternativas possíveis e avaliar sua atratividade. Para esta finalidade, sua ferramenta mais poderosa é o modelo mental que você construiu no decorrer do tempo, sobre como o mundo funciona e como o seu banco opera nele. Como líder sábio, você terá testado muitas vezes este modelo, em discussões com os principais executivos, consultores e outros que também pensaram profundamente a respeito do futuro do banco. Se você tem acesso a um computador que modele instalações e se a ocasião justificar o custo, então pode ser construído um modelo quantitativo mais formal.

Grande parte desta análise terá de ser uma série de "chamadas de julgamento", mas é possível sugerir algumas das perguntas que você deve formular, inclusive as seguintes:

- Quais são as instituições que têm um interesse no futuro deste banco, e o que gostariam de ver acontecer?
- Quais são os possíveis indicadores de desempenho para o banco e como podem ser medidos?
- O que aconteceria ao banco se continuasse em sua presente trajetória sem quaisquer grandes mudanças?
- Quais os primeiros sinais que você poderia detectar se o ambiente externo do banco devesse efetivamente mudar de forma substancial?
- O que você poderia fazer para alterar o curso dos eventos, e quais seriam as conseqüências?
- Que recursos o seu banco possui ou pode obter para agir nos vários futuros possíveis?
- Dos possíveis futuros alternativos para o banco e seus ambientes, quais os mais suscetíveis à sobrevivência e ao sucesso?

Através de uma série de perguntas como estas, podem aparecer padrões que sugiram visões alternativas

viáveis. Você deve, então, sintetizar todas estas informações em uma única visão, e é aqui que a arte de liderar realmente entra em jogo. A síntese de uma visão
envolve um grande grau de julgamento e, freqüentemente, considerável intuição e criatividade também.
Suponhamos que no exemplo que estamos considerando
você tenha decidido que o futuro do seu banco seria
mais profícuo se você concentrasse a sua atenção em
servir às empresas de alta tecnologia, particularmente
as indústrias recém-emergentes, com uma vasta faixa
de serviços financeiros. Ainda resta transformar esta
visão em ação.

ENFOQUE DE ATENÇÃO:
O LÍDER EM BUSCA DE COMPROMETIMENTO

O líder pode gerar novas perspectivas do futuro e sinte-
tizá-las e articulá-las com genialidade, mas isto se torna
significativo somente quando a visão é divulgada com
sucesso através da organização e efetivamente institucionalizada como um princípio orientador. Os líderes
são tão poderosos quanto as idéias que podem comunicar. A filosofia básica do líder tem de ser: "Vimos o
que a organização pode ser, compreendemos as conseqüências desta visão e agora vamos agir para que assim
seja".
Uma visão não pode ser estabelecida em uma organização por decreto ou por exercício de poder ou coer-
ção. É mais um ato de persuasão, de criar um comprometimento entusiástico e dedicado para com uma visão,
porque é certa para a ocasião, certa para a organização
e certa para as pessoas que nela estão trabalhando.
Descobrimos em nossas discussões com os líderes
que as visões muitas vezes podem ser melhor comuni-
cadas através de metáforas ou modelos — como quando
um líder político promete "panela cheia para o povo"

90 LÍDERES

ou uma empresa telefônica lhe pede para "telefonar para alguém". Talvez, em nosso exemplo, pudesse ser algo como "serviço bancário inovador para empresas inovadoras", ou "serviços financeiros para os que são líderes".

Em qualquer comunicação ocorre alguma distorção, mas o grande líder parece ser capaz de encontrar exatamente a metáfora certa que esclarece a idéia e minimiza a distorção. De fato, a metáfora certa muitas vezes transcende completamente à comunicação verbal; como um bom poema ou canção, é muito mais do que meras palavras. Dá o "sentido certo", apela para o nível interior, ressoa com as necessidades emocionais do próprio líder, faz surgir a idéia certa de algum modo.

Uma outra maneira pela qual o líder comunica uma nova visão é agindo coerentemente com ela e personificando-a. Talvez seja por isso que muitos líderes empresariais ultimamente têm procurado aparecer nos comerciais de suas firmas, onde alguns, como Lee Iacocca, fazem um trabalho extraordinário de comunicação de um novo espírito. Outros, como Ross Perot e Ted Turner, demonstraram por sua própria ousadia e aventura o quão inovadoras e dispostas a assumir riscos esperam que suas empresas sejam (EDS e Turner Broadcasting). Quando recentemente Linden H. Blue assumiu a presidência da Beech Aircraft, deu início a um novo impulso técnico. Como se fosse para personificar a nova energia, começou um vigoroso programa de exercício pessoal, relatado a seguir:

O Sr. Hedrick, cuja cintura aumentou com os anos, jogava golfe. O Sr. Blue pula corda três manhãs por semana e faz exercícios com aparelhos outras três em um centro de aptidão física de empregados, que construiu em um velho hangar.

O Sr. Blue também parece ter tirado nova vida dos administradores da Beech. Na maior parte, são os mesmos ho-

Estratégia I: Atenção Através da Visão **91**

mens e mulheres, diz um fornecedor da Beech. "Eles apenas respiram mais depressa. Todos estão tentando correr no ritmo de Linden".[4]

Uma visão do futuro não é oferecida uma vez e para todos pelo líder, e depois deixada ao léu para que desvaneça. Ela precisa ser repetida de vez em quando. Precisa ser incorporada na cultura da organização e reforçada pela estratégia e processo decisório. Precisa ser constantemente avaliada para mudança possível, à luz de novas circunstâncias.

No final, o líder pode ser aquele que articula a visão e lhe dá legitimidade, que expressa a visão em retórica cativante, incendiando a imaginação e as emoções dos seguidores, que — através da visão — concede poder aos outros para tomar as decisões que levam à realização das coisas. Mas se a organização deve ser bem-sucedida, a imagem precisa surgir das necessidades da organização inteira e precisa ser "reivindicada" ou "possuída" por todos os participantes de importância. Em suma, precisa tornar-se parte de uma nova arquitetura social na organização, assunto para o qual nos voltamos a seguir.

Estratégia II: Significado Através da Comunicação

Acima e além da sua capacidade de visualização, um líder tem de ser um *arquiteto social* que compreenda a organização e molde sua maneira de funcionar. A arquitetura social de qualquer organização é a variável discreta que traduz em significado a "florescente e murmurante confusão" da vida organizacional. Determina quem diz o que e a quem, sobre o que, e que espécies de ações devem resultar. A arquitetura social é intangível, mas rege a maneira pela qual as pessoas agem, os valores e normas que são sutilmente transmitidos a grupos e

Estratégia II: Significado Através da Comunicação **93**

indivíduos, e a formação e a permanência de laços em uma empresa.*

Lembre-se de que no capítulo "Liderança e Autocontrole", perguntamos: Como você faz com que as pessoas se alinhem por detrás das metas de uma organização? Como você comunica visões? Respondemos parcialmente a essa pergunta na ocasião, afirmando que isso pode acontecer através da "administração de significado". Isto, porém, não vai suficientemente longe, porque deixa de indicar como na realidade acontece — como o líder cria entendimento, participação e domínio da visão. Neste capítulo discutiremos o mecanismo organizacional através do qual os empregados reconhecem e se alinham de acordo com uma identidade estabelecida (a visão). Esse mecanismo é a arquitetura social, que pode facilitar *ou* subverter "os planos mais bem lançados".

Apesar da falta de clareza conceptual ainda remanescente, que esperamos sobrepujar, a arquitetura social pode ser definida, avaliada e, até certo ponto, moldada e administrada. O desenho e a administração da arquitetu-

---

*O significado de "arquitetura social" se tornará mais claro à medida que prosseguirmos. No momento, concebêmo-la virtualmente como sinônimo de "cultura", ou, mais simplesmente, como as normas e os valores que moldam o comportamento em um ambiente organizado. Preferimos o termo "arquitetura social" por numerosas razões, não incluindo, de forma alguma, a estética. Acima e além de nossas preferências estéticas, há razões mais fortes para o seu emprego. Antes de mais nada, tal expressão transmite muito mais significado do que "cultura" — o mais vago dos termos — e, certamente, relaciona *significado* à vida organizacional de um modo que não acontece com "cultura organizacional". Mas, talvez de maior importância, é que "arquitetura social" implica mudança e suscetibilidade de manejo e que os líderes podem fazer alguma coisa a esse respeito, ao passo que "cultura", conforme é comumente empregada, implica rigidez ou intratabilidade. Palavras e frases são importantes, e embora tendamos a usar "cultura" e "arquitetura social" intercambiavelmente, acreditamos que este último termo faça mais sentido.

94 LÍDERES

ra social constituem uma das quatro responsabilidades primordiais do líder.

Falemos agora sobre o conceito e apresentemos algumas das razões que justificam a importância que lhe atribuímos. Acreditamos que nós, seres humanos, estamos presos a redes de significados que nós mesmos tecemos. Vemos a arquitetura social como uma dessas redes. Em outras palavras, arquitetura social é aquela que proporciona contexto (ou significado) e comprometimento a seus membros. Portanto, antes de mais nada, a arquitetura social apresenta uma interpretação compartilhada dos eventos organizacionais, de modo que os membros saibam como se espera que eles ajam. Ela também gera um comprometimento para com os principais valores e filosofia da organização — isto é, as metas pelas quais os empregados sentem que estão trabalhando e nas quais podem acreditar. Finalmente, a arquitetura social de uma organização serve como um mecanismo de controle, sancionando ou proscrevendo determinadas espécies de comportamento.

A importância da arquitetura social pode ser prontamente observada se examinarmos um caso específico, onde uma determinada arquitetura social, antes fonte de força, tornou-se um grande obstáculo ao sucesso futuro. Talvez o leitor já tenha adivinhado que estamos nos referindo à AT&T.

A história é bastante conhecida, mas merece agora uma recapitulação rápida: em 1978 a AT&T anunciou que estava fazendo uma mudança estratégica de empresa de serviços telefônicos orientada para serviço, para um negócio de comunicações orientado para o mercado. O presidente do conselho de administração, John DeButts, dirigiu-se ao circuito interno de TV da empresa para anunciar a cada empregado que "vamos nos tornar uma empresa de *marketing*". Para implementar esta nova estratégia, a AT&T empreendeu a maior transformação or-

Estratégia II: Significado Através da Comunicação 95

ganizacional na história da indústria nos Estados Unidos, implicando a mudança em um em cada três dos milhões de empregos na AT&T. Apesar das grandes mudanças em estrutura, em recursos humanos, e em sistemas de apoio, há um consenso geral, tanto dentro como fora da AT&T, de que sua maior tarefa para ser bem-sucedida em sua estratégia será sua capacidade para transformar a cultura da empresa. Participamos intimamente dessa questão, trabalhando com duas das sete "empresas telefônicas" envolvidas, ajudando a rever a arquitetura social, mas provavelmente se passará uma década antes que possam ser feitos julgamentos diretos quanto ao seu sucesso. Nesse meio tempo, por assim dizer, como é que você mexe com a arquitetura social de uma organização?

Um homem que tentou foi Walter Spencer, ex-presidente da Sherwin-Williams Company. Durante seis anos Spencer tentou mudar uma firma que sofria de superabundância de produtos que não eram rentáveis e que, parecia, não podiam ser cortados. Havia também o viés de produção profundamente arraigado, mantido pela maioria dos membros do conselho na cidade de Cleveland, voltada para bens de capital. Falando de suas tentativas para transformar a Sherwin-Williams, uma empresa voltada para a produção, em uma empresa de *marketing*, Spencer disse, "Quando você pega uma empresa com 100 anos de idade e muda a cultura da organização e procura fazer isso no tradicional ambiente empresarial... bem, leva tempo. Você tem de ficar martelando em cima de todo mundo". Depois de "martelar" durante seis anos, Spencer demitiu-se, dizendo que o trabalho já não era mais divertido. Ele tinha conseguido algumas alterações, mas não tinha mudado radicalmente a cultura. [1]

Em nossa experiência, a razão pela qual tantas tentativas de mudança organizacional falham, é que os líde-

96 LÍDERES

res deixaram de levar em conta as forças culturais. Os líderes que deixam de considerar a arquitetura social e ainda tentam mudar suas organizações, lembram muito Canute, o lendário monarca dinamarquês que se colocou ante as ondas na praia e ordenou que elas parassem como prova de seu poder.

Talvez os exemplos seguintes possam ilustrar a importância deste ponto; o primeiro diz respeito ao efeito da cultura em determinar o sucesso de fusões e aquisições, e o segundo refere-se à implementação de planos estratégicos da empresa:

■ Em 1968, quando a Rockwell International, orientada para *marketing*, fundiu-se com os bruxos da engenharia aeroespacial da North American, tanto os administradores como os analistas esperavam uma reação sinérgica. "A Rockwell, procurando novas tecnologias e novos produtos para mercados comerciais, via a North American como um lugar onde os 'cientistas de cabelos compridos' jogavam fora todos os dias idéias que podiam ser úteis a ela. A North American, por sua vez, sentia-se atraída pela garra comercial e produtora da Rockwell".* Mas em vez de se apoiarem mutuamente, os valores básicos das firmas colidiam. "Conforme o então diretor Robert Anderson lamentava, o pessoal da engenharia aeroespacial não estava acostumado a problemas comerciais. ' Insistimos com eles o tempo todo que deviam diversificar, mas cada vez que tentavam, gastavam muito dinheiro em alguma coisa que, depois de tudo dito e feito, não encontrava mercado, ou era avançado demais para o mercado' ". As visões de mundo das duas empresas, conforme se revelou mais tarde, eram radicalmente diferentes: "A cultura da Rockwell considerava o mundo como um lugar onde as margens de lu-

---

* Richard Snyder em *The Planning of Change* (4ª ed.).

Estratégia II: Significado Através da Comunicação 97

cro dominam a tomada de decisão. O ambiente da North American era mais nobre. Cerca de 60 doutores em filosofia bem pagos, por exemplo, gastavam somente 20% do seu tempo nos negócios da empresa e eram livres para dedicar o restante da maneira que desejassem, em pesquisa básica. *Isto não era compatível com a obsessão da Rockwell em controlar custos e margens"*. Treze anos mais tarde, "os executivos ainda estão procurando melhorar o ajustamento cultural das duas firmas".[2]

O segundo exemplo ilustra o impacto da cultura empresarial sobre programas inovadores, especificamente um programa destinado a melhorar a saúde da empresa como um todo:[3]

■ As empresas americanas — preocupadas com a saúde dos empregados e com os custos crescentes de assistência à saúde — acham-se numa onda de manutenção de saúde, instalando centros de aptidão física, construindo ginásios, e comprando programas de saúde. Até agora tais iniciativas surtiram pouco efeito. As taxas de incidência de doenças e os custos de seu tratamento continuam a subir rápido, e a evidência mostra que poucas pessoas conservam até mesmo as mudanças nos hábitos saudáveis que são capazes de efetuar. *A principal razão para a falha dos programas de saúde nas empresas parece ser que a cultura organizacional, repleta de normas de saúde negativas,* sobrepuja quaisquer mudanças que os indivíduos procurem fazer.* As empresas que começaram a tratar a saúde como um problema cultural, bem como indi-

---

* Conhecemos numerosas firmas que instalaram os mais caros e equipados ginásios/centros de saúde imagináveis. Ao mesmo tempo, estas firmas induzem uma insuportável quantidade de *stress* através de prodigiosas cargas de trabalho, condições insalubres das fábricas, pesados programas de viagens, e situações repletas de ansiedade, o que anula os presumidos benefícios de seus "programas formais de saúde".

98 LÍDERES

vidual, encontram esperança para mudança duradoura nas vidas de seus empregados e consideráveis poupanças nos gastos de saúde da empresa.

Os exemplos anteriores indicam a importância da arquitetura social e, acreditamos, tornam claro que os líderes precisam aprender a lidar estrategicamente com ela. Neste ponto, seria útil fazer um breve resumo de como uma arquitetura social surge e como é mantida.

Primeiro, um fundador, ou grupo fundador, vem a produzir alguma coisa ou prover um serviço. O(s) fundador(es) tem(têm) atitudes e valores a respeito de seu produto, e o produto ou serviço em si mesmo tem características que definem como pode ser executado. Por sua vez, o mercado, produto, ou serviço serão posicionados de maneira a conseguir um nicho distinto no ambiente. (No próximo capítulo discutiremos este processo de "posicionamento".) Depois, sistemas de recompensas serão iniciados e desenvolvidos a fim de compatibilizar as atitudes ou estilo do(s) fundador(es), bem como as metas da organização, à forma como os processos são desencadeados. À medida que a organização cresce, chegam outras pessoas, reforçando certos aspectos de suas operações e modificando outros — ou vão embora porque não se ajustam ou não podem mudar a operação a seu gosto.

E a organização continua a evoluir e a mudar — em certos aspectos. As tarefas, o desempenho, o mercado, tudo pode mudar. A organização torna-se maior ou menor, floresce ou permanece estagnada, torna-se mais homogênea ou mais diversa.

Ao mesmo tempo, a arquitetura social (ou cultura) não muda comensuravelmente — nem o deveria necessariamente. Algumas vezes o estilo dos fundadores funcionará em conjunto com a mudança. Com maior freqüência, o estilo permanece, mas não é apropriado. Este estilo, ou cultura organizacional, que de início foi tão funcional, torna-se uma força separada, independente, e às vezes em desacordo com as razões e incidentes que o formaram. Em suma, quando a administração procura mudar as metas da organização, adotar novos métodos de trabalho, ou criar qualquer mudança fundamental, a cultura pode não apenas deixar de suportar estas mudanças, como também derrotá-las.

Mas, chega de abstrações. Vamos aos fatos. O que nós esperamos fazer, no restante deste capítulo, é, primeiramente, identificar e descrever os três tipos mais proeminentes de arquitetura social encontrados na vida organizacional contemporânea. São os arquétipos, o que Max Weber chamaria de "tipos ideais". Depois disso, passaremos à mais crucial de todas as perguntas: de que modo um líder molda e muda a arquitetura social? Assim, na próxima seção, nosso objetivo é aprofundar a compreensão do líder sobre arquitetura social e, depois disso, equipá-lo com as ferramentas necessárias para mudá-la.

TRÊS ESTILOS
DE ARQUITETURA SOCIAL

Os principais elementos que definem a arquitetura social de uma organização são: suas origens; seu princípio operativo básico; a natureza de seu trabalho; a administração de informação, tomada de decisão e poder; influência; e *status*. Estes elementos caracterizam três tipos organizacionais distintos: o de *colegiado*, o *personalístico* e o *formalístico* — que examinaremos a seguir.

100 LÍDERES

A Organização de Colegiado*

A empresa foi fundada sobre um conceito de engenharia em que poucas pessoas acreditavam: que um produto de alta tecnologia poderia ser feito de uma determinada maneira. O principal fundador da empresa tinha se associado a universidades e trouxe seus valores científicos para a empresa. Ele acreditava muito — e ainda acredita — que a excelência traz em si suas próprias recompensas. O princípio operativo básico é que a empresa está "lutando pela excelência", a partir de uma perspectiva de "ganhar-ganhar".

Certamente, a natureza do trabalho deu suporte a esta perspectiva. São desenvolvidos novos produtos empregando-se tecnologias extremamente avançadas, o que exige um alto nível de interdependência entre grupos e indivíduos. Freqüentemente há um elevado grau de incerteza ao redor de suas atividades, assim como mudanças freqüentes em tecnologia, mercado, e/ou concorrência. Até certo ponto, portanto, cada produto é a aplicação de um caso único. Os engenheiros valorizam a satisfação e o desafio que o trabalho lhes proporciona. O ambiente deste setor particular da indústria é altamente competitivo, pondo em jogo grandes variáveis; há crescimento rápido e incontrolável nas carreiras de cientistas e engenheiros, muitas vezes precocemente bem-dotados.

A administração de informação técnica e científica é um aspecto importante para se manter a competição,

---

* Somos mais do que "profundamente agradecidos" a Marcia Wilkof por esta seção. Sua tese de doutoramento, da qual partilhamos de forma liberal, serviu de base para compreendermos a "organização de colegiado". Se fôssemos chamá-la de co-autora desta seção, no entanto, isso seria apenas um exagero: "Organization Culture", tese de doutoramento, Wharton School, 1982.

por causa da natureza da tarefa. Nesta empresa — vamos chamá-la de "LED" — muitas vezes a informação é transferida através da comunicação verbal, face a face, e há um forte valor que encoraja o seu compartilhar.

O estilo de tomada de decisão é participativo e encoraja o fluxo de idéias "de baixo para cima", visando a gerar consenso sobre todos os assuntos. Isto significa que *todas* as pessoas que efetuam ou são afetadas por uma decisão têm voz ativa nela. Consenso significa não haver objeções, significa ausência de erosão ou interferência em qualquer atividade dada. Não significa que todos tenham a mesma opinião, idéia ou estratégia. Significa que todos os membros participantes têm voz ativa — que concordam em conceder algum tempo para que o assunto se resolva, prove a si mesmo, destrua-se, ou o que quer que seja. Esta forma de administração de colegiado pode ser observada em todas as decisões maiores ou menores com que a LED se confronta, desde a estratégia empresarial e metas do produto até especificações de projetos e a remuneração do trabalhador.

Na LED, o poder, a influência e o *status* baseiam-se no reconhecimento de pares, não na posição hierárquica. O reconhecimento de pares, por seu turno, baseia-se no grau de competência com que se vê uma pessoa e, até certo ponto, em habilidades interpessoais. Espera-se que as pessoas lutem arduamente por aquilo em que acreditam, mas lutem de um modo correto, aberto, justo e limpo.

A Figura 3 ilustra os princípios da LED, sua "arquitetura em colegiado". De onde veio essa cultura? Já dissemos que o fundador da LED trouxe valores acadêmicos e científicos para a empresa. Especificamente, ele trabalhou em um laboratório do governo associado a uma universidade. Como muitos outros, decidiu caminhar por si próprio quando sua idéia para um novo dispositivo atraiu pouco interesse no laboratório. Além de

Figura 3 A arquitetura social da LED: a estrutura de colegiado. (De M. Wilkof, "Organization Culture", ver nota de rodapé, página 100.)

seus valores científicos, o fundador da LED é um homem profundamente religioso e altamente ético, que acredita que ninguém, inclusive ele mesmo, conhece todas as respostas; que o mundo é um lugar confuso, ambíguo, com problemas e situações tão complexas que quanto mais pessoas você puder colocar para trabalhar em um problema, tanto mais oportunidades você terá de encontrar uma solução. Ele tinha e ainda tem muita confiança nas pessoas. Nos primeiros tempos da história da empresa, ele não tinha ouvido a respeito da "Teoria Y" de McGregor, nem de algo semelhante à administração participativa, mas tinha as suas próprias idéias, que pareciam incorporar esses valores, e ele os conservava com vigor.

Uma anedota a respeito do fundador (que já não é mais o presidente da LED) envolve um engenheiro recém-contratado. O novo empregado, que tinha vindo de uma firma rival de computadores, contou à administração que tinha trazido alguns "segredos" importantes da firma concorrente. Quando o presidente da LED ouviu isto, de acordo com a história, ficou furioso e disse ao novo empregado que "enterrasse" aqueles segredos, acrescentando que ele seria o último a desejar saber sobre aquela espécie de furto e que a LED não negociava dessa maneira.

A estrutura participativa ou de colegiado está ganhando popularidade nos Estados Unidos, assim como em todos os lugares. Estamos aprendendo com o modelo japonês e também incorporando preceitos de psicologias interpessoais. Esta estrutura particular parece muito apropriada para as tecnologias de crescimento rápido e altamente competitivas que confiam em divisões agressivas de pesquisa e desenvolvimento.

O Estilo Personalístico

A Jordan Manufacturing é um lugar "super". Tem superlucros, superpolíticas, superprodutos, superprodutividade e superpotencial, e os que fazem isto acontecer são superpes-

104 LÍDERES

soas. Mas o que torna a história desta empresa ainda mais notável é que as oficinas de trabalho são notoriamente negócios "sub". Estraçalhadas pela divisão entre a mão-de-obra e a administração, povoadas por operários com cargos inúteis, e caracterizadas por anomia originada por monotonia e despersonalização, as oficinas de trabalho não são habitualmente os lugares onde uma pessoa encontraria pessoas criativas fazendo trabalho da mais alta qualidade.*

Esta é a história dramática de Jim Jackson, proprietário e fundador da Jordan. Quando ele fala sobre o renascimento do operário, soa como uma superprodução — a espécie de fervor evangélico que causa repulsa. Mas depois de passar algum tempo na Jordan e conversar com Jackson, ficamos convencidos de que há mais do que retórica por trás do estilo de administração que usa. Muito mais.

Jim comprou a Jordan no final da década de 1970, depois de uma longa carreira ascendente na empresa. Como menino — diferentemente da maioria dos da sua idade, que colecionavam figurinhas de beisebol e idolatravam os heróis esportivos — Jim decorava os nomes dos presidentes das 500 primeiras empresas da Fortune. Ele queria ser um deles algum dia. Mas alguma coisa sempre entravava o seu caminho. Quando foi promovido diretor de uma das 500 primeiras empresas da Fortune, desmantelou seu sonho da meninice e surgiu com uma nova visão: compraria o seu próprio lugar e administraria da maneira que sempre quis ser administrado.

De acordo com um de nossos estudantes que examinou a Jordan, Jim Jackson é "maior do que a vida".

---

*A Jordan Manufacturing é um pseudônimo, do mesmo modo que Jim Jackson. Tomamos certas liberdades a fim de proteger o anonimato da empresa.

Estratégia II: Significado Através da Comunicação   105

Faz seus empregados lembrarem de serem corretos tanto com suas palavras como com seus atos. Faz questão de ir às oficinas pelo menos duas vezes por semana, a fim de cumprimentar os que atuaram excepcionalmente bem, perguntando como vão as coisas na família, e verificando o "clima" do lugar. Não há perigo de que os empregados sintam que ele está procurando adivinhar como deveriam estar desempenhando suas tarefas, porque ele não sabe quase nada a respeito das técnicas da oficina. Ele adora ser citado como aquele que "dificilmente sabe como fazer funcionar um carro".

A estratégia competitiva de Jackson baseia-se em qualidade e serviço, coisas sobre as quais todo mundo fala atualmente. Mas proporcioná-los aos clientes é muito diferente, e a Jordan faz isso. As vendas subiram de $ 74 milhões para acima de $ 90 milhões entre 1982 e 1983, e os lucros, no mesmo período, foram acima de 700%. As ações da empresa subiram 42% em 1982 e novamente em 1983. O autor de um artigo sobre a Jordan, publicado em uma revista, observou que "o sucesso da empresa baseia-se principalmente em uma estratégia considerada, de estabelecer confiança entre os empregados e os proprietários".

Um artigo recente, em uma publicação especializada diz: "Desde o início Jackson disse às pessoas-chave que a filosofia da administração era que 'Vamos por esta estrada. Se você não compreender, grite. Se você não concordar, grite, e daremos um jeito' ". O veículo para essa estrada é o estilo de administração de Jackson, incorporado em um agrupamento de políticas empresariais informais. O mais perto que conseguimos chegar a uma declaração formal, explícita, de sua filosofia foi um boletim de meia página que ele fez circular em 1978:

- As pessoas querem fazer um bom trabalho e estar associadas ao sucesso!
- As pessoas farão um bom trabalho se:

106 LÍDERES

Compreenderem a necessidade!
Dispuserem de:
    Instalações e equipamento
    Procedimentos
    Material
    Conhecimento
    Administração que lidera
Seus esforços forem reconhecidos e apreciados
Não associarmos culpa à "falha"
Todos assumirem responsabilidade pelo produto
Deixarmos os trabalhadores entregues a si e lhes
    concedermos flexibilidade

Poderia ser interessante citar o que alguns administradores na Jordan dizem da Jordan e de Jackson:

- Tenho muito respeito por Jim. Tudo o que ele me disse a respeito deste lugar durante a entrevista, foi feito. Nada de bobagens. Ele cumpriu a sua palavra. Parecia muito bom para ser verdade. Pensei, "O que na verdade eu encontrarei lá quando chegar?". Algumas semanas mais tarde perguntei-lhe alguma coisa e ele respondeu, "O que foi que eu lhe disse?". E eu pensei, "OK. Ele é a coisa verdadeira".

Abaixo, um trecho de entrevista com um outro administrador:

Bem, a pressão aqui é bastante intensa e a rotatividade é grande...

P. Já pensou alguma vez em sair?

R. Sim, isso passou pela minha cabeça. Sinto-me muito frustrado, mas ainda existe tanta oportunidade e desafio aqui, e somos uma empresa tão boa!

P. O que você faz quando se sente frustrado?

R. Bem, se posso falar com Jim, tudo OK.

P. Você pode realmente conversar no mesmo nível com ele?

R. Sim, sobre a maioria das coisas.

Estratégia II: Significado Através da Comunicação **107**

P. O que é que não pode discutir com ele?

R. Bem, não estou muito certo. Embora ele fale de delegação e nos encoraje a treinar e desenvolver nosso pessoal, não estou realmente seguro de que ele desenvolva seus "relatórios diretos". Mas já discuti isso com ele...

P. Como você consegue ser bem-sucedido aqui?

R. Supõe-se que eu seja como Jim. Você vê, eu cresci com a empresa e tive cerca de dez anos para aprender, e pude ajustar-me às mudanças e responder ao que era desejado e necessário. Imagino o que irá acontecer com os novos que não tiveram a oportunidade de trabalhar diretamente com Jim.

P. Como você descreveria as características de um executivo de sucesso na Jordan?

R. Para começar, você tem de ser tecnicamente excelente; se você estiver em *marketing* ou produção, ou o que quer que seja, tem de ser muito bom no que faz. Precisa ter antevisão e levar uma vida limpa, frugal... Informal... veja Jim. Mais responsabilidade do que podemos nos desincumbir... Nada de enfeites, nada de fantasia. Estamos todos no mesmo barco. Nada de Hiltons ou Marriotts.

P. Você quer dizer Holiday Inns?

R. Sim — Holiday Inns e Best Western.

P. Soa como se você estivesse descrevendo Jim?

R. Absolutamente certo.

Quando o entrevistador pediu a um administrador de cúpula da Jordan que fizesse ou descrevesse um desenho que caracterizasse melhor a arquitetura social da empresa, ele disse:

> ■ Há um camarada com uma luneta... esse é Jim. ...Ele está olhando para o futuro... fazendo malabarismo com uma porção de bolas no ar. Está num navio, na proa, toda a força à frente, com as bolas no ar e como que

olhando através da luneta. É um navio de bom porte, correndo como o diabo fugindo da cruz... um destróier, um destróier da Marinha. De vez em quando, o camarada com a luneta — creio que seja Jim — deixa as bolas e a luneta e vai conversar com a tripulação, e faz com que todos pensem que esta viagem é a coisa mais importante que podemos estar fazendo. E acreditamos!

Quando discutimos a arquitetura social da Jordan com a vice-presidente de recursos humanos (e lhe pedimos para enfocar os problemas de sua área), ela nos disse que há numerosos problemas. "Com a maior probabilidade", disse-nos, "nosso maior problema, quando se trata do lado humano das coisas, é que há somente uma pequena percentagem de administradores que servem como modelos de função. Além do mais, os administradores 'acontecem', não são sistematicamente desenvolvidos. É só isso. Mas isso não é comum".

Jim Jackson gosta de lembrar-se que Vince Lombardi costumava dizer que se trata de "um jogo de polegadas". "Eu quero esta polegada. Eu quero esta polegada", diz ele. De acordo com Jackson, a Jordan ganha porque é um jogo de milésimos de polegada — um jogo que somente pode ser ganho arduamente — considerando os milhões de peças de precisão que a empresa faz todos os anos. E parece estar ganhando — com os pés nas costas.

As metas de Jackson para a Jordan foram e são simples: expandir firmemente a empresa e elevar os lucros, partilhar a riqueza, e capacitar a todos para sentirem satisfação e prazer no emprego. Julgou que a única maneira de fazer isso seria "criar uma atmosfera de confiança completa entre nós, nossos empregados e clientes". Parece que foi o que aconteceu.

O Estilo Formalístico

Foi somente na década de 1920 que Alfred P. Sloan a-certou sobre o que se tornaria rapidamente o modelo básico para as organizações industriais (e de outras espécies). Na General Motors, Sloan combinou um sistema de produção descentralizado com uma política e controle financeiro centralizados. De fato, o modelo da GM — que é o arquétipo do formalístico — permanece como o principal modelo organizacional, não somente nos Estados Unidos, como também em todo o mundo industrializado. A visão de Sloan foi tão impulsora e duradoura que somente nos anos recentes, depois de um longo período de gestação, é que a GM, sob a direção do presidente do conselho de administração, Roger Smith, articulou uma nova declaração de missão com oito objetivos para a empresa, a primeira visão estratégica, desde Sloan.

A GM, como a maioria dos grandes sistemas complexos, tem uma estrutura formal que enfatiza regras nítidas, explícitas; uma estrutura formal de comissões; e uma clara divisão do trabalho em "finanças" e "operações". A lógica para esta estrutura foi proporcionada pelo atualmente famoso documento de Sloan, de 1920, chamado de "Plano Organizacional". Sloan disse que o objetivo de seu plano era preservar as melhores características das operações descentralizadas, ao mesmo tempo em que introduzia uma medida de controle financeiro e comunicação interdivisional, que maximizaria os esforços e as eficiências das diversas empresas integradas.

Na grande expansão da General Motors, entre 1918 e 1920, eu tinha sido surpreendido pela disparidade entre substância e forma: muita substância e pouca forma. Fiquei convencido de que a empresa não poderia continuar a crescer e a sobreviver salvo se fosse melhor organizada, e era evi-

110 LÍDERES

dente que ninguém estava dando à matéria a atenção que precisava.[4]

Assim escreveu Sloan em *My Years with General Motors*, e isto refletia sua frustração, na época, com o crescimento rápido, sem planejamento, da GM durante o primeiro quinto deste século, e sua impaciência com o legado do fundador da empresa, o desenfreado, inveterado que era William Durant. Durant dirigiu a GM para o sucesso mundial e a dominação na indústria automobilística. Sua forma de agir, embora de amplo alcance, algumas vezes era caprichosa, deixando seus associados preocupados e confusos. Durante a liderança de Durant, a GM operou sem controle central que se possa mencionar. Sua técnica era o exemplo extremo da administração descentralizada, adequada a seu talento, porque ele não era um administrador competente. De acordo com todas as fontes disponíveis, a GM sob Durant era administrada tão informalmente que não havia contabilização formal na empresa, até que Sloan instou para que houvesse uma auditoria anual de todos os livros contábeis da organização. Não havia orientação e direção central para a empresa, nem plano metódico de crescimento. Em 1910, Durant tinha aumentado a GM para incluir vinte e cinco empresas menores que, em sua maioria, construíam acessórios para automóveis. Estas eram livremente organizadas, cada qual praticamente se autodirigindo. A matriz servia como uma empresa *holding*.

Quando chegou a recessão de 1920, a GM estava com excesso de estoque (devido à cobiça empresarial de Durant; sua ânsia de expansão abrangia mais do que ele podia conseguir) e excesso de produtos para o mercado que se tornava lento. A GM perdeu o controle e teve de tomar emprestados $ 83 milhões a serem pagos a curto prazo, a fim de atender ao seu passivo corrente. Sob

Estratégia II: Significado Através da Comunicação 111

pressão, Durant se demitiu da GM em 20 de novembro de 1920.*

No meio deste tumulto em 1920, Sloan, então principal assessor do presidente Pierre Du Pont, estava demonstrando seu prodigioso talento como gênio financeiro e organizacional. Seu "Plano Organizacional" foi e ainda é uma das mais importantes afirmações em administração organizacional. Ele disse que o objetivo de seu plano era preservar as melhores características das operações descentralizadas, ao mesmo tempo em que introduzia uma medida de controle financeiro e comunicação interdivisional, que maximizaria os esforços e as eficiências da empresa. A proposta tinha dois princípios gerais:

1. A responsabilidade atribuída ao diretor de cada operação de modo algum será limitada. Cada organização chefiada por seu executivo deve estar completa em todas as funções necessárias e capacitada para exercer sua plena iniciativa e desenvolvimento lógico.
2. Certas funções organizacionais centrais são absolutamente essenciais para o desenvolvimento lógico e o controle apropriado das atividades da empresa como um todo.[5]

Sloan estava plenamente cônscio da contradição inerente àqueles dois princípios. Também compreendia que para que o plano funcionasse, teria de ser mantido um delicado equilíbrio entre a liberdade das várias operações (estilo de Durant) para administrar as suas próprias atividades e os controles necessários para coordenar essas operações. O mais importante a se ter em mente é que o "Plano Organizacional" lançava uma disposi-

---

*Faleceu pobre, em 18 de março de 1947. Seus últimos dias de trabalho foram em um boliche em Flint, Michigan. Diz-se que Durant, em seus últimos dias no negócio, não estava tão interessado em dirigir o boliche, como estava em lançar planos para construir cinqüenta centros de boliche por todo o país.

112 LÍDERES

ção organizacional formal definida para a GM "do presente e do futuro" e estabelecia a arquitetura social que conseguiu com sucesso guarnecer o espírito de aventura empresarial de Durant com os talentos de um brilhante executivo de operações, incorporado pelo próprio Sloan.

À medida que a cultura da GM emergia sob a sombra de Sloan, de acordo com a maioria dos relatórios, um tema dominante começou a surgir como característica dessa cultura. Este tema era central para a filosofia de administração da GM e incluía os seguintes valores-núcleo: respeitar a autoridade, "ajustar-se" e ser leal.

Uma das mais comuns expressões culturais de deferência devida aos homens que detinham posições de alto *status* era o uso de uma linguagem especial, ou jargão, para se referir ao domínio destes executivos. Seus escritórios estavam localizados no décimo quarto andar em uma das extremidades em forma de I do enorme prédio que era a sede da GM. Os empregados se referiam a ele como "O Décimo Quarto Andar" e "Fileira Executiva". Em seu livro sobre os dias de John Z. DeLorean na GM, *On a Clear Day You Can See General Motors*, J. Patrick Wright escreveu, "Na General Motors, as palavras 'O Décimo Quarto Andar' são pronunciadas com reverência".[6] Seu alto *status* estava claramente refletido na aparência do décimo quarto andar. A entrada para este piso era uma fronteira, destinada em parte a comunicar a dificuldade de obter entrada nestes saguões sagrados:

> ... uma pesada porta de vidro protege a entrada do Décimo Quarto Andar. Ela é eletronicamente trancada e aberta por uma recepcionista que introduz uma chave sob sua mesa de trabalho, numa sala de espera ampla e singela, aquém da porta.
>
> Uma vez dentro, um silêncio lúgubre reforçava uma impressão de grande poder:
>
> ... A atmosfera no Décimo Quarto Andar é quieta e inspira respeito. Os corredores geralmente estão desertos. As

Estratégia II: Significado Através da Comunicação 113

pessoas falam em voz baixa. A quietude onipresente projeta uma aura de grande poder. A razão pela qual tudo é tão quieto deve significar que os poderosos executivos da General Motors estão trabalhando arduamente em seus escritórios, analisando montanhas de dados complicados, participando de reuniões e tomando decisões empresariais importantes e ponderadas. Não há lugar para risos ou conversações casuais nos saguões. Essas coisas são frivolidades. Há trabalho demais a ser feito e não há tempo para banalidades.[7]

No que tange à "adequação ao clima", havia evidências em todos os lugares, na maneira de trajar dos empregados, no modo como suas salas eram decoradas, nos estilos de vida que escolhiam. O código de traje na década de 1960 consistia em terno escuro, camisa clara e gravata sóbria, possivelmente listrada.

No primeiro capítulo do livro de Wright, John Z. DeLorean revela "Por que Saí da General Motors":

E eu refletia sobre meus sentimentos, que se traduziam em uma ironia trágica com relação à minha exoneração: Que esta sociedade anônima do tamanho de um mamute, que tinha sido fundada por um dissidente, Billy Durant, e construída sobre o protótipo da empresa americana bem dirigida por homens que eram indivíduos de destaque, não podia hoje aceitar ou acomodar um executivo que tinha deixado sua marca na empresa por ser diferente e individualista. Nunca pretendi comparar-me com os grandes fundadores e moldadores da moderna General Motors — Alfred P. Sloan, Jr., a família Du Pont, Donaldson Brown e outros. Mas eu era um estudioso de suas técnicas e aborrecia-me o fato de que eu já não era mais capaz de trabalhar para a empresa que eles tinham fundado... Não havia lugar para mim.[8]

Não é preciso ser gênio para discernir quase imediatamente o contraste entre a arquitetura social formal,

114 LÍDERES

nítida e explícita da GM e o espírito empresarial semelhante ao de Durant da Jordan Manufacturing. Ou o contraste com o colegiado da LED. E quando se considera a declaração de "saída" de DeLorean, citada anteriormente, torna-se claro que ele, igualmente, compreendeu com exatidão (e ao mesmo tempo violou) o cânone não escrito, mas sagrado, da GM, a que nos referimos como seu estilo de arquitetura social.

Até mesmo a menos reflexiva das pessoas teria problemas não tomando conhecimento dos estilos contrastantes da arquitetura social nas três organizações que descrevemos. Jim Jackson julgaria sufocante o décimo quarto andar da GM. E nem o fundador da LED, nem Sloan, se sentiriam à vontade na Jordan Manufacturing. Para resumir, com a LED e seu estilo de *colegiado*, a ênfase dominante está no consenso, na afiliação ao grupo de pares, no trabalho de equipe. Sob a liderança de Jackson, o tema predominante da arquitetura social é o *personalístico*; em seu extremo, uma anarquia legitimada, onde o *locus* da tomada de decisão está dentro de cada indivíduo. A GM representa o outro extremo, uma cultura *formalística*, onde o comportamento deriva de regras e políticas explícitas, e onde o afastamento das regras é questionável, na melhor das hipóteses, e herético na pior.

Podemos dizer com segurança que estes três estilos de arquitetura social respondem por aproximadamente 95% das organizações contemporâneas. Daquelas com as quais estamos familiarizados, podem ser selecionadas algumas candidatas líderes para o estilo *formalístico* dentre as seguintes: AT&T, Procter & Gamble, Pacific Telesis, Bank of America, Imperial Chemical Industries, Ford Motor Company, os Los Angeles Dodgers, Times-Mirror, Inc., o Departamento de Estado, a maioria das indústrias regulamentadas, e muitas mais dentre as 500 da Fortune. As organizações de *colegiado* freqüente-

Estratégia II: Significado Através da Comunicação   115

mente são encontradas no setor de alta tecnologia, em muitas organizações de sociedade, e onde haja uma alta proporção de empregados profissionais. O Vale do Silicone e a área da Rota 128 (fora de Boston) estão repletos de exemplos. Firmas tais como a Intel, Digital, Data General e Hewlett-Packard são arquetípicas. O mesmo se dá com Arthur D. Little, a firma de consultoria, ou a TRW, mesmo com seu pesado viés de produção. E mesmo um banco como o Citicorp se qualifica.

Muitas organizações empresariais "jovens" de alto crescimento — muitas vezes o fruto cerebral de um inventor-fundador — revelam ser *personalísticas*. Exemplos tais como Goretex, Thompson Vitamins, Foothill Group, Hotel Corporation of America, Louisville Cardinals, People Express, e The Limited vêm à mente. (Contudo, à medida que "envelhecem", muitas organizações personalísticas têm uma tendência a se deslocar para o tipo de arquitetura social de colegiado ou formalística.)

O quadro a seguir identifica os principais temas dos três estilos de arquitetura, que podem ajudar o leitor a ver onde sua organização se localiza, sob este aspecto.

Para resumir, traçamos distinções cuidadosas entre três formas de arquitetura social, cada qual coerente dentro de si mesma e capaz de ter sucesso enorme quando apropriadamente posicionada. O líder, como um arquiteto social, precisa ser ao mesmo tempo artista, desenhista e mestre artífice, enfrentando o desafio de alinhar os elementos da arquitetura social de modo que, como um prédio ideal, ela se torne uma síntese criativa singular, adequada para realizar a visão orientadora do líder.

A arquitetura social, como temos continuamente salientado, proporciona *significado*. O ponto-chave é que se uma organização deve ser transformada, a arquitetura social precisa ser renovada. O líder efetivo precisa articular novos valores e normas, oferecer novas visões e empregar uma variedade de ferramentas para transfor-

Quadro I TRÊS ESTILOS DE ARQUITETURA SOCIAL

Valores/Comportamento	Formalística	Colegiado	Personalística
Base para decisão	Direção de autoridade	Discussão, acordo	Direções de dentro
Formas de controle	Regras, leis, recompensas, punições	Interpessoal, comprometimentos grupais	Ações alinhadas ao autoconceito
Fonte de poder	Superior	O que "nós" pensamos e sentimos	O que *eu* penso e sinto
Fim desejado	Cumprimento	Consenso	Auto-realização
A ser evitado	Afastamento de direção autoritária; assumir riscos	Falha em conseguir consenso	Não ser "verdadeiro para consigo mesmo"
Posição relativa quanto aos outros	Hierárquica	Par	Indivíduo
Relacionamentos humanos	Estruturados	Voltados para grupo	Individualmente orientados
Base para crescimento	Seguir a ordem estabelecida	Afiliação a grupos de pares	Agir com a consciência do eu

FERRAMENTAS DO ARQUITETO SOCIAL

O líder mais bem-sucedido de todos é aquele que vê um outro quadro ainda não atualizado. Ele vê as coisas que pertencem ao seu quadro presente, mas que ainda não estão lá... Acima de tudo, ele deve fazer seus colegas de trabalho verem que não é o seu propósito que tem de ser realizado, mas um propósito comum, nascido dos desejos e atividades do grupo.

Mary Parker Follett[9]

Uma pergunta intrigante é se uma organização pode mudar deliberadamente a sua arquitetura social. Afinal, temos de perguntar: Exatamente quão manejáveis são tais características como valores partilhados, comprometimentos, processos decisórios, e assim por diante? Conquanto não haja respostas fáceis a esta pergunta e, com certeza, nenhum "livro de receitas" para tais mudanças fundamentais, existem diversos exemplos que podemos apontar e com eles aprender. Um deles é Lee Iacocca, na Chrysler. Ele criou uma nova visão, mobilizou a força de trabalho com base nessa visão, e trabalhou para solidificar o comprometimento para as mudanças que efetuou. Roger Smith, da General Motors, embora trabalhando de modo muito diferente de Iacocca, tem eliciado uma nova visão e, com meticuloso trabalho de assessoria e reuniões constantes, tem conseguido comprometimento para uma nova missão. Tais ações também estão em andamento na AT&T. Um caso negativo é a International Harvester. Essa firma precisava urgentemente, no princípio da década de 1980, de uma nova visão e empregados

118 LÍDERES

trabalhando de acordo com ela para se empenhar em novos comportamentos. Mas a liderança não enfrentou o desafio, não conseguindo realizar a tarefa de transformar a arquitetura social. A resistência que se seguiu à mudança levou a International Harvester à beira da bancarrota.

O que aprendemos sobre transformar a arquitetura social vem diretamente das experiências dos líderes que entrevistamos. Para que seja conseguida uma transformação de sucesso, é preciso seguir três princípios — que se *aplicam igualmente a cada um e a todos* os três estilos há pouco descritos:

1. Criar uma nova visão impulsora, capaz de levar a força de trabalho para uma nova posição.
2. Desenvolver comprometimento para com a nova visão.
3. Institucionalizar a nova visão.*

Criar uma Nova Visão

O líder efetivo precisa montar para a organização uma visão do estado futuro desejado. Embora esta tarefa possa ser partilhada e desenvolvida com outros membros-chave da organização, continua sendo o núcleo da responsabilidade e não pode ser delegada. Na GM, o desenvolvimento da nova visão foi responsabilidade direta de Roger Smith e, embora acarretasse uma grande quantidade de trabalho de assessoria e literalmente dezenas de repetições de "papéis de missão", foi moldada pela filosofia e estilo de Smith. Iacocca confiou mais em seus instintos do que nos relatórios da assessoria e foi pessoalmente agressivo ao criar uma nova visão e missão. O ponto é que a transformação da arquitetura social tem de começar no topo da organização com o CEO,

---

* Nesta seção, foi especialmente valioso o trabalho de Noel Tichy.[10]

Estratégia II: Significado Através da Comunicação **119**

e ter pleno apoio do conselho de administração e do círculo interno dos dirigentes de cúpula. O CEO cujo comportamento é coerente com as normas e valores que ele ou ela articulou para a organização, tem uma enorme vantagem de saída.

A AT&T proporciona aqui um bom exemplo. Há diversos anos, quando começou o processo de desapossamento, o presidente do conselho de administração, Charles L. Brown, começou a compor o cenário para a transformação, em numerosos discursos. Em um dos mais importantes, ante o Clube Comercial de Chicago, afirmou:

> ... há uma nova companhia telefônica na cidade... um negócio de alta tecnologia aplicando estratégias de *marketing* para atender a requisitos altamente sofisticados dos clientes. ... "Ma Bell" já não é mais um nome apropriado para esta empresa... A mãe já não mora mais aqui.[11]

A AT&T tem uma visão clara de sua nova missão e, à medida que os empregados da Bell forem se considerando como "competitivos" e não como "regulamentados", o foco gerencial passará para o mercado.

O desafio de longo prazo para revitalizar a arquitetura social (e uma avaliação de seu êxito) terá menos a ver com a forma como a visão é criada e mais com a extensão em que esta *posiciona* corretamente a organização em seu ambiente competitivo. (O capítulo seguinte será inteiramente dedicado ao "posicionamento da organização".)

Desenvolver Comprometimento com a Nova Visão

A organização precisa ser mobilizada para aceitar e apoiar a nova visão — e fazê-la acontecer. Na GM, Roger Smith proporcionou a 900 executivos de cúpula

120 LÍDERES

um retiro de cinco dias para que estes partilhassem e discutissem a visão. Naturalmente, não há necessidade de cinco dias para partilhar a declaração de uma pequena missão e oito objetivos. Mas comprometer-se exige mais do que concordar verbalmente, mais do que apenas diálogo e intercâmbio. No mínimo, a visão tem de ser articulada clara e freqüentemente, de uma variedade de maneiras, desde o "estabelecimento de políticas" que têm um impacto mínimo na revisão de alvos e métodos de recrutamento, até treinamento que é explicitamente dirigido para modificar o comportamento em apoio a novos valores organizacionais, e a adaptação e modificação de símbolos partilhados que lembram e reforçam a nova visão.

Quanto a este último ponto, o uso de símbolos, a AT&T é um caso interessante. Ela perdeu o nome Bell e o logotipo, o que então lhe deu a oportunidade de reforçar a mensagem do Sr. Brown, tanto interna como externamente, de que "Ma Bell não vive mais aqui". A AT&T continuou a usar AT&T como seu nome de comércio, dessa forma capitalizando sua reputação de longo tempo através do mundo. Substitui o conhecido logotipo (um sino dentro de um círculo) por um globo simbolicamente encinturado por comunicações eletrônicas. Destarte, a AT&T tem um novo símbolo que, de acordo com a sua publicidade, "sugere novas dimensões — de nosso negócio e de nosso futuro".[12]

Depois que o líder cria uma visão que mobiliza comprometimento, talvez comece o desafio mais difícil, o de institucionalizar a nova visão e missão.

Institucionalizar a Nova Visão

Há uma história a respeito de Sun Tzu, um grande general chinês, que viveu há dois mil anos. O rei ordenou a

Estratégia II: Significado Através da Comunicação 121

Sun Tzu que treinasse seu exército, e o general, depois de treiná-lo e disciplá-lo até ficar satisfeito, pediu ao rei para inspecionar as tropas. Mas o rei respondeu que não queria fazê-lo, após o que Sun Tzu disse calmamente, "O rei somente gosta de palavras e não pode traduzi-las em ações".[13] Palavras, símbolos, articulação, treinamento e recrutamento, embora necessários, não vão muito longe. As mudanças nos processos de administração, na estrutura organizacional e no estilo de administração têm de apoiar as mudanças no padrão de valores e comportamentos que a nova visão implica.

Para citar um exemplo vivo, o trabalho básico de reestruturar a AT&T pós-alienação acarretou uma mudança de sua anterior orientação de centro de lucro limitado a uma área para uma orientação de negócios com centro de lucro de âmbito nacional. Para implementar esta mudança significativa, a AT&T teve de transferir 13.000 empregados da matriz para as divisões prospectivas ou subsidiárias do período pós-alienação. E o quadro remanescente de executivos da AT&T que tinha permanecido na matriz foi reorganizado a partir de uma estrutura de políticas, estratégias e administração financeira apropriadas para os novos empreendimentos orientados para o mercado.

Aqui, o que estamos fazendo é traduzir intenção em realidade. E isso envolve não apenas missão, estrutura organizacional e recursos humanos, mas também as forças políticas e culturais que impulsionam o sistema. Até que Lee Iacocca assumisse a Chrysler como líder, a estrutura política básica interna tinha permanecido inalterada durante anos. Um dos primeiros atos de Iacocca foi redefinir as ligações da Chrysler com várias instituições externas, não apenas o governo, onde as conversações bem-sucedidas garantiram empréstimos substanciais, mas também com o sindicato dos trabalhadores da indústria automobilística (UAW), convidando

122 LÍDERES

seu presidente, Douglas Fraser, para fazer parte do conselho de administração.

Iacocca foi igualmente surpreendente no âmbito cultural. Teve de mudar os valores culturais de um sentimento de "perdedores" para o de "vencedores". Isso foi particularmente difícil, não só por causa do desempenho passado irregular da Chrysler, mas também pelo fato da empresa carregar o estigma de ser "afiançada pelo governo". E esta mudança teve de ser realizada com menos recursos do que os seus concorrentes dispunham. Iacocca conseguiu isto, visível e deliberadamente, através de mensagens freqüentes aos trabalhadores e, talvez o mais importante, por aparecer pessoalmente nos anúncios da Chrysler, a fim de reforçar suas mensagens internas. Durante um período de um ou dois anos, a cultura interna — que até então era pobre e procurava avidamente a vitória — transformou-se, alcançando competência suficiente para conseguir o sucesso.[14]

MUDANÇA DA ARQUITETURA SOCIAL

O líder é um arquiteto social efetivo na medida em que pode administrar significados. Dissemos isso o tempo todo. Mas transformar isso em realidade parece óbvio e misterioso ao mesmo tempo. Porém, se há uma lição tirada de nossa análise das melhores práticas nesta área complexa, ela parece ter origem nos líderes que fazem bem uma porção de coisas simples e óbvias. Ao dizer isso, não se pretende, de modo algum, minimizar ou tornar triviais as dificuldades em dominar a arquitetura social, mas é que, realmente, todos os líderes estudados usam bom senso.

No caso de Lee Iacocca, sua vivacidade, confiança e clareza na emissão de sua mensagem, fazendo com que

Estratégia II: Significado Através da Comunicação **123**

fosse compreendida pelo público (e indiretamente por seus funcionários), fizeram a diferença. A AT&T não apenas mudou o seu logotipo, como também transformou completamente as suas operações, de uma orientação que visava obter lucros em uma área limitada para uma linha de negócios de âmbito nacional. A Ford Motor Company usou (e usará uma vez mais) a mudança de diretores para transformar a arquitetura social; isso parece funcionar bem para Henry Ford II, o ex-presidente do conselho de administração da Ford que, detendo 40% das ações da empresa, ainda desempenha um papel fundamental como arquiteto social. De acordo com Jim Burke, presidente do conselho de administração e diretor da Johnson & Johnson, talvez a empresa de maior sucesso em produtos na área de saúde, há e houve numerosos fatores que moldaram a arquitetura social da organização. Tanto ele como Robert Wood Johnson, "o General", filho do fundador e ex-chefe do conselho de administração da empresa, partilhavam a crença de que "se você tem pessoas sensatas que se conhecem, de um modo ou de outro os problemas se resolvem".[15] Com as fortes convicções do General Johnson e de Jim Burke sobre a superioridade inerente a pequenas unidades autônomas, a descentralização passou a ser a principal direção estratégica para a empresa. Mas Burke também reconhece e agradece a influência do Credo que, na maior parte, refletiu e formalizou as idéias do General sobre a responsabilidade pública e social. Burke descreveu a influência do Credo nos administradores da J&J da seguinte maneira:

> Toda a nossa administração está engrenada para obter lucros diários. Isto faz parte do mundo dos negócios. Mas com muita freqüência, nesta e em outras empresas, as pessoas tendem a pensar, "É melhor fazermos isto, porque se não o fizermos, aparecerá nas cifras de curto prazo".

124 LÍDERES

O Credo lhes permite dizer, "Espere um minuto. Eu *não* tenho de fazer isso. A administração me disse que está realmente interessada nos resultados de longo prazo, e está interessada em que eu opere sob este conjunto de princípios. Portanto, não o farei".[16]

Porém Burke é rápido em acrescentar que não é um único fator que cria e sustenta uma determinada arquitetura social. Apesar do reconhecimento total do Credo dentro da J&J, Burke percebeu um certo grau de simbolismo e a necessidade de inculcar entre os administradores os valores subjacentes a este Credo. Descreveu suas ações em 1979:

Pessoas como o meu antecessor acreditavam no Credo com paixão, mas os administradores de unidades operacionais não estavam totalmente comprometidos com ele. Parecia haver uma atitude crescente de que o Credo estava lá, mas que ninguém tinha coisa alguma a ver com isso. Assim, fiz uma reunião com cerca de 20 executivos principais e desafiei-os. Disse, "Aqui está o Credo. Se não formos viver de acordo com ele, vamos arrancá-lo da parede. Se vocês desejam modificá-lo, digam-nos como. Ou nos comprometemos com ele ou nos livramos dele".

A reunião foi iluminadora, porque estávamos desafiando os valores pessoais das próprias pessoas. Ao final da reunião, os administradores haviam adquirido uma boa dose de compreensão e entusiasmo pelas crenças contidas no Credo. *Subseqüentemente*, Dave Clare e eu nos reunimos com grupos menores de administradores da J&J do mundo inteiro para desafiar o Credo.

Agora, na realidade não penso que você possa impor convicção ou crenças à outra pessoa. Mas acho que se eu realmente entendo o que faz a empresa funcionar, então posso induzir você a pensar com base nos fatos, e a ver como a filosofia é pragmática quando se trata de dirigir com êxito uma empresa... E creio que foi o que aconteceu aqui.[17]

Estratégia II: Significado Através da Comunicação 125

Para muitos, inclusive para os administradores da J&J, a evidência mais forte do poder do Credo foi dada pela resposta da empresa na crise do Tylenol. Sua resposta fez com que o *Washington Post* escrevesse que "A Johnson & Johnson conseguiu retratar-se perante o público como uma empresa disposta a fazer o que é certo, não importando o custo".[18]

Na Intel, o mosaico de elementos que moldam e sustentam a arquitetura social é diferente *e* tão simples e complexo como na J&J. Entre outras coisas, a arquitetura social da Intel inclui um forte "programa universitário" onde são dados mais de oitenta cursos, ensinados, freqüentados e pagos exclusivamente por empregados da Intel, desde o presidente do conselho de administração, Gordon Moore, até os operários. Andy Grove, o presidente, por exemplo, criou e ainda dá um curso denominado "Confronto Criativo", que resume bastante a sua filosofia de liderança e a cultura da empresa. Um dos autores deste livro foi contratado como consultor para ajudar a Intel a desenvolver um curso de liderança. Antes do curso ser iniciado, o grupo inteiro da administração de cúpula, até o presidente Moore, fez o curso dado pelo próprio autor em dois dias, em um local retirado, e depois despendeu alguns meses para aparar as arestas que foram detectadas por ocasião do curso. Agora, eles próprios são os professores.

E depois há os "coloridos" memorandos informais de Andy Grove, enviados esporadicamente. Quem quer que os receba, sejam eles positivos ou negativos, em geral os coloca em um lugar de destaque para que todos os vejam. Um dos primeiros "Andygramas" que o autor notou foi uma carta escrita por um executivo da cúpula a Grove e devolvida por este ao remetente com um grande carimbo em vermelho sobre a carta toda, dizendo: *BOBAGEM*! FAÇA ISSO OUTRA VEZ!

126 LÍDERES

Roger Smith usa sua comissão executiva. Jim Burke faz o mesmo. William McGowan, chefe da MCI, fala interminavelmente com qualquer pessoa que encontre — um exemplo claro da "administração por perambulação" de Peters e Waterman. Alguns líderes "mostram" e outros "dizem". Em caso algum nossos líderes efetivos delegaram a tarefa de moldar a arquitetura social para qualquer outra pessoa. Tampouco encontramos um líder efetivo cujas atividades, quando se trata de influenciar a arquitetura social, esmorecem ou enfraquecem.

A metamorfose que se acha envolvida na transformação da arquitetura social de qualquer organização — não importando se pequena ou grande, nem o estilo de arquitetura social predominante "desafiaria a de qualquer lagarta em borboleta".[19] As complexidades organizacionais, operacionais e tecnológicas que têm de ser enfrentadas são enormes. Em nosso ponto de vista, é a tarefa mais difícil com que a administração se defronta atualmente. Não obstante, as organizações amadurecidas precisam revitalizar-se de uma maneira ou de outra, a fim de competirem em ambientes cada vez mais difíceis. E transformar estas instituições requer uma marca especial de liderança que não apenas estamos advogando, mas que julgamos necessária para que as organizações alcancem suas metas.

Estratégia III:
Confiança Através
de Posicionamento

Deixe de honrar as pessoas,
Elas deixam de honrar você;
Mas de um bom líder, que fala pouco,
Quando seu trabalho está feito, o alvo atingido,
Todos dirão, "Fomos nós que fizemos".

Lao Tzu

Quando Frank Dale assumiu como editor do *Los Angeles Herald-Examiner*, a organização estava terminando uma greve de dez anos. Havia muita amargura e, como ele nos disse, "Todos que eu encontrava lá tinham perdido sua curiosidade, não havia interesse, apenas vagavam por ali... Eu enfrentava um verdadeiro problema". Sua primeira tarefa foi apresentar-se a todos, agradecer sua lealdade até aquele ponto, e permitir-lhes expressarem suas preocupações e frustrações. Às perguntas do tipo, "O que faz você pensar que pode fazer esta coisa an-

128 LÍDERES

dar?'', ele respondia, ''Ainda não sei, mas em trinta dias eu voltarei e lhes direi o que encontrei''. Recrutou uma força-tarefa composta pelas melhores pessoas da Hearst Corporation para fazer um estudo de emergência, e em trinta dias tinha escrito um relatório sobre o que precisava ser feito, o qual foi partilhado com o pessoal. Ele tinha dado os primeiros passos importantíssimos para estabelecer confiança mútua, sem o que não teria sido possível liderar.

A confiança é o elo emocional que une seguidores e líderes. O acúmulo de confiança é a medida da legitimidade da liderança. Ela não pode ser forçada ou comprada; tem de ser conquistada. A confiança é o ingrediente básico de todas as organizações, a ''lubrificação'' que mantém a organização e, como dissemos anteriormente, é um conceito tão misterioso e tão difícil de ser compreendido quanto a liderança — e igualmente importante.

O que podemos dizer com certeza é que se a confiança tem de ser gerada, é preciso haver *previsibilidade*, a capacidade de prever o comportamento de outrem. Um outro modo de dizer isso é que a organização em que não há confiança lembra o pesadelo ambíguo de Kafka, *The Castle*, onde não há certeza de nada, não se pode confiar em pessoa alguma, tampouco considerá-la responsável por prestar conta de alguma coisa. A capacidade de prever resultados com alta probabilidade de sucesso gera e mantém confiança.

Nos ambientes organizacionais da espécie que vimos discutindo, a confiança entre líderes e seguidores não pode existir sem duas condições:

- A *visão* do líder quanto à organização precisa ser clara, atraente e viável. Tendemos a confiar nos líderes que criam estas visões, já que a visão representa o contexto para crenças partilhadas em um propósito

Estratégia III: Confiança Através de Posicionamento 129

organizacional comum.

■ As *posições* do líder precisam ser claras. Tendemos a confiar nos líderes quando sabemos qual a sua posição em relação à organização e como a posicionam em relação ao ambiente.

A visão e a posição relacionam-se da mesma forma que pensamento e ação ou uma idéia e sua execução. A visão, naturalmente, também é o catalisador principal na

IMAGENS PERCEPTUAIS MAPEADAS DE MARCAS DE AUTOMÓVEIS

- TEM UM TOQUE DE CLASSE
- Lincoln — UM CARRO QUE EU TERIA ORGULHO EM POSSUIR
- Cadillac — APARÊNCIA DISTINTA
- Porsche
- Mercedes
- BMW
- Chrysler
- Buick — Pontiac
- Oldsmobile

APARÊNCIA CONSERVADORA. — Chevrolet — DESEMPENHO RÁPIDO

ATRAI AS PESSOAS MAIS IDOSAS — Ford — Datsun — ATRAI OS JOVENS

— Toyota

DIVERTIDO DE DIRIGIR
APARÊNCIA ESPORTIVA

Dodge

Plymouth — VW
MUITO PRÁTICO
PROPORCIONA BOA QUILOMETRAGEM
QUALQUER PESSOA PODE COMPRAR

Fonte: Chrysler Corp. Wall Street Journal, 22 de março de 1984, p. 35.

Figura 4 Posicionamento de produto.

130 LÍDERES

administração da atenção, que discutimos no capítulo sobre Estratégia I. Este capítulo focalizará o *posicionamento*, o aspecto mais complexo e menos entendido na administração da confiança. Porém, sua importância não pode ser exagerada: é a recíproca organizacional da visão, aquilo que anima e inspira a visão do líder.

Na próxima seção definiremos tão precisamente quanto pudermos o posicionamento e o seu papel na efetividade organizacional. A seguir, introduziremos um método prático e original de gerar confiança. Para concluir, traçaremos lições para o papel do líder no posicionamento da organização.

ORGANIZAÇÕES
E SEUS AMBIENTES

Os gerentes de *marketing* há muito estão familiarizados com a noção de posicionamento de produto. Uma empresa automobilística, por exemplo, poderia mapear seus produtos conforme mostra a Figura 4. Ao fazer isso, define um nicho distinto no mercado e sabe como estabelecer seu alvo quanto a estilo, preço e propaganda. Ao mesmo tempo, seus empregados, clientes, administradores e acionistas sabem o que o produto representa e o que a empresa está tentando fazer.

Se ampliarmos este conceito de posicionamento de produto para o de posicionamento organizacional, talvez sejamos capazes de explicar muito do comportamento de liderança. "Posicionamento organizacional" refere-se ao processo pelo qual uma organização desenha, estabelece e sustenta um nicho viável em seus ambientes externos. Abrange tudo o que o líder tem de fazer para alinhar os ambientes interno e externo da organização no tempo e no espaço.

Podemos ilustrar este conceito com uma conhecida empresa de sucesso, a Kentucky Fried Chicken. Nas últi-

Estratégia III: Confiança Através de Posicionamento 131

mas décadas, a convergência de muitas forças ambientais, como mais oportunidades de emprego para mulheres, maiores índices de divórcio, custo de vida mais elevado e famílias menores, causou um grande aumento no número de pessoas que moram sozinhas e de famílias em que duas pessoas trabalham fora. Reconhecendo que estas pessoas tinham pouco tempo para cozinhar, os líderes da empresa definiram um nicho — a necessidade de uma refeição barata, preparada na hora, confiável, que pudesse ser adquirida e servida rapidamente com pouca movimentação. A empresa posicionou todos os aspectos de sua organização para este nicho — um *produto* único baseado em matérias-primas de baixo preço e com um sabor característico; um *processo de produção* que usasse mão-de-obra barata e equipamento padronizado e procedimentos para garantir a cada vez um produto rápido e de confiança; um sistema de *compra* destinado a enormes economias de escala com forte controle de qualidade para garantir constância; um sistema de *distribuição* baseado em milhares de pequenos estabelecimentos convenientemente localizados e facilmente reconhecíveis; e uma estrutura de *administração* adequada para finanças, promoção e compras centralizadas, juntamente com produção e vendas descentralizadas. Em suma, o que se passa dentro da organização Kentucky Fried Chicken está idealmente posicionado mediante as necessidades do ambiente externo.

Este conceito de posicionamento organizacional se aplica igualmente a todas as espécies de organizações — Avis Rent-a-Car, Boston Pops, um barzinho freqüentado por jovens, ou a Escola de Administração da USC. Além do mais, há uma forte analogia entre organizações humanas e outros organismos, sob este aspecto. Cada qual deve procurar um nicho ambiental apropriado, dentro do qual atue e cresça. As mudanças ambientais abruptas podem causar a falência de uma organização

Quadro 2 DESCRIÇÕES DO AMBIENTE EXTERNO DE UMA ORGANIZAÇÃO

Ambientes	Empresa	Universidade	Hospital	Órgão Público
Ambientes Primários				
1. Fornecedores	Bancos Sindicatos trabalhistas Fornecedores de bens e serviços	Escolas secundárias Professores Editores Mercados de trabalho Doadores, provedores de capital Fornecedores	Cia. de seguros Médicos Mercados de trabalho Doadores Fornecedores	Contribuintes Servidores públicos Fornecedores de bens e serviços Políticos
2. Consumidores	Clientes Acionistas	Estudantes Pacientes Comunidade de pesquisa Ex-alunos Empregadores	Público geral Comunidade de pesquisa	Receptores de serviço Setor privado
3. Organizações de interface	Concorrentes Agências de propaganda Auditores Órgãos reguladores Consultores	Sociedades profissionais Ex-alunos Mídia Bancos Organizações credenciadas Conselho de representantes	Entidades médicas Hospitais-escolas Conselho de administração Grupos voluntários Seguro-saúde Laboratórios	Outros órgãos Comunidade de educação Consultores Grupos de cidadãos Legisladores Tribunais Organizações de pesquisa de mercado

1. Tecnológicos	Tecnologias de produto Tecnologias de produção Comunidade de pesquisa Patentes	Estágio de conhecimento da disciplina acadêmica Sistemas educacionais Computadores	Tecnologia médica Sistemas administrativos Farmacologia	Sistemas administrativos Comunidades de pesquisa Tecnologias de comunicação
2. Político/Legal	Leis tributárias *Lobbies* Subsídios e regulamentos	Bolsas de estudo públicas Tribunais federais Leis de direitos autorais Mandato	Sistema de assistência médica Dedução dos custos de saúde Órgãos licenciadores	Legislação capacitadora Decisões jurídicas Políticos com incumbência
3. Social	Atitudes públicas Consumismo Fatores demográficos	Atitudes públicas Fatores demográficos *Status* dos cursos universitários	Atitudes públicas Focos de atenção relativos à saúde Ambientalismo	Atitudes públicas Interesses especiais Necessidades dos grupos de clientes — pobres, velhos etc.
4. Econômico	Comércio internacional Clima empresarial doméstico Forças do mercado Taxas de juros	Ordenados dos professores universitários Clima empresarial doméstico Inflação Emprego	Custos com a saúde Clima empresarial doméstico	Condições empresariais domésticas Orçamentos Economia global
5. Institucional	Estrutura da indústria Práticas de comércio Padrões de auditoria Mercados de valores	Mercado acadêmico Testes de admissão Grupos de ex-alunos Conferências desportivas	Casas de convalescença Medicina acadêmica Serviços sanitários públicos	Práticas de mídia Audiências públicas Estruturas de comissão Autoridade

134 LÍDERES

tão facilmente quanto podem causar a morte de qualquer outro organismo que não teve tempo suficiente para se adaptar. Os tribunais estão cheios de exemplos.

Entretanto, existem algumas diferenças entre as organizações humanas e os demais organismos, sob este aspecto. A primeira é que os ambientes das organizações são muito *mais complexos* do que os ambientes naturais, porque podem conter tanto elementos físicos como elementos construídos pelo homem. Em contraste com os ambientes físicos, os elementos feitos pelo homem tendem a ser irregulares, não recorrentes, irracionais e imprevisíveis. Além disso, uma organização precisa interagir não somente com seus ambientes primários — como fornecedores, consumidores e organizações de interface — mas também com muitas estruturas tecnológicas, legais, sociais, econômicas e institucionais que restringem as atividades de uma organização e sobre as quais esta tem muito pouco controle direto. O Quadro 2 arrola alguns dos típicos ambientes primários e secundários para quatro espécies diferentes de organizações — uma empresa, uma universidade, um hospital e um órgão do governo.

A segunda diferença entre organizações humanas e outros organismos é a importância central da *dimensão tempo*. Na maioria dos sistemas naturais a mudança ocorre de forma muito lenta e freqüentemente é medida em milhares de anos. Nos sistemas humanos, a mudança ocorre com muita rapidez. Em resultado, nada é mais importante para as organizações modernas do que sua efetividade em enfrentar a mudança. E isto conduz a uma terceira diferença. Enquanto as outras organizações mudam em conseqüência da seleção natural, as organizações mudam devido às escolhas específicas que elas próprias fazem. De fato, as decisões de posicionamento estão muito mais ligadas ao *desenho* de um nicho apropriado. Em sentido muito real, a própria organização

Estratégia III: Confiança Através de Posicionamento

escolhe todos os ambientes primários e muitas vezes os secundários com os quais deve tratar. Por exemplo, ao delinear seu estabelecimento, a Kentucky Fried Chicken fez uma grande quantidade de escolhas ambientais, como:

- Os grupos consumidores particulares que desejava servir e as regras governando sua interação.
- Os tipos de fornecedores com os quais negociaria e os termos do relacionamento.
- A localização geográfica dos estabelecimentos.
- Os tipos de mídia, mercados de trabalho, tecnologias, e assim por diante, com os quais a empresa iria interagir.

Estas três dimensões — complexidade, o horizonte de tempo, e a escolha — que diferenciam as organizações humanas dos demais organismos, são os verdadeiros fatores com os quais os líderes estão primariamente preocupados ao posicionar suas organizações.

Vejamos o que diz Don Gevirtz, presidente do Grupo Foothill, uma inovadora instituição de empréstimos, sobre posicionamento:

> Uma das razões pelas quais nossa empresa cresceu é porque encontramos um nicho e procuramos ampliá-lo constantemente no mercado. O melhor exemplo foi quando enviamos um jovem formado em administração para uma jazida de petróleo e ele lá viveu. Calçou suas botas, vestiu-se como os perfuradores de petróleo e durante quatro meses manteve-se próximo aos pequenos bancos e aos perfuradores independentes, passando o tempo todo descobrindo o que precisavam. Em resultado desse estudo demos início à divisão de recursos de energia de nossa empresa, que empresta dinheiro a perfuradores independentes e a todas as empresas que prestam serviços a esses perfuradores. Eles não podem tomar dinheiro emprestado dos bancos, porque estes não desejam assumir tais riscos. Assim, criamos um

136 LÍDERES

centro de lucro muito, muito importante apenas ampliando e especializando um nicho que tínhamos em geral. Portanto, acredito fortemente na inovação do mercado, descobrindo o que ele deseja e precisa, e o que a concorrência faz ou não faz, e verificando como atendê-lo do melhor modo possível. A isto chamo decisão de concentração.

O que Gevirtz chama de "decisão de concentração", nós chamamos de posicionamento — isto é, ele tinha de posicionar toda uma nova divisão para o novo ambiente em que tinha escolhido operar: a "jazida de petróleo". Ele precisava de uma linha de produto que lhe fosse adequada, de administradores treinados nos problemas do campo da energia, de escritórios localizados perto dos tomadores de empréstimos e de um sistema de informação para acompanhar um novo tipo de garantia. Qualquer que seja o nome usado, "posicionamento" envolve criar um nicho em um ambiente complexo, mutável, que é único, importante e apropriado para os recursos e capacidade de uma organização. A forma como se consegue o posicionamento talvez seja o fator mais importante para a determinação da efetividade de uma organização.

Existem quatro estratégias principais que os líderes escolhem (algumas vezes sem o perceber), a fim de posicionar a sua organização:

1. *Reativa.* Com esta abordagem, a organização espera pela mudança e reage — após o fato. Alguns líderes que operam desta maneira agem por descuido, como o fizeram os da indústria do aço. Em outros casos, possivelmente mais efetivos, uma estratégia reativa visa a manter as opções abertas e proporciona a flexibilidade necessária para enfrentar uma vasta gama de ocorrências. Uma empresa de serviços públicos, reativa, construiu uma usina que poderia operar com muitas espécies diferentes de combustível, ao invés de depender unicamente

Estratégia III: Confiança Através de Posicionamento   137

do petróleo. A estratégia reativa é a menos cara das estratégias e muitas vezes a que requer menos visão; ocasionalmente pode funcionar, mas somente em ambientes que se alteram devagar, permitindo tempo suficiente para a reação. Conhecemos muito poucos ambientes empresariais com tal lassidão, como aquele do qual a morte virtual da indústria de estéreos nos Estados Unidos dá um testemunho silencioso. Tampouco qualquer de nossos noventa líderes se refugiam na modalidade reativa. Ouçam novamente Gevirtz:

> A decisão de concentração tem diversos significados que ensinamos e pelos quais lideramos na empresa. O primeiro significado é que a cada ano nos perguntamos, "Em que negócio estamos?". Bem, o negócio em que estamos não é emprestar dinheiro em base de aval para empresas de pequeno e médio porte nos Estados Unidos. A cada ano nos perguntamos, "Existem outras oportunidades que nos foram apresentadas? Devemos comprar uma companhia de seguros? Devemos entrar em alguma outra forma de empréstimo? Devemos conceder empréstimos a pessoas físicas?". E a cada ano nossa decisão de concentração tem sido a de que continuaremos a ser emprestadores mediante aval para pequenas empresas. Assim, essa é a decisão sobre "em que negócio você está".

A abordagem de Gevirtz tanto ilustra como serve de introdução para a seguinte estratégia:

2. *Mudar o ambiente interno.* Ao invés de esperar que a mudança aconteça, os líderes podem desenvolver procedimentos efetivos de previsão para antecipar a mudança e depois "agir antecipadamente" ao invés de reagir. A curto prazo, podem reposicionar a organização, concedendo ou retendo fundos, força de trabalho ou instalações para as partes da organização que, esperam, sejam afetadas pelas mudanças. Rotineiramente a indústria de brinquedos trata os pedidos recebidos de janeiro

138 LÍDERES

a março como previsões das vendas de Natal e engrena suas requisições e produção segundo as previsões antes que seja conhecida qualquer reação do consumidor.

A longo prazo, os ambientes internos podem ser mudados de uma maneira mais duradoura pela alteração das estruturas organizacionais internas; por treinamento e educação; por seleção, contratação e demissão; e por esforços deliberados para desenhar uma cultura empresarial que desenvolva certos valores às expensas dos outros, conforme foi discutido no capítulo anterior. A indústria bancária está atualmente no meio de uma destas reestruturações históricas. Está desenvolvendo novas culturas empresariais por antecipação a condições muito mais competitivas no futuro, bem como novas competências (por exemplo, caixas automáticos, serviços de administração de capital), novos procedimentos de operação e novas localizações, tanto domésticas como no exterior.

3. *Mudar o ambiente externo.* Esta abordagem exige que a organização que prevê a mudança aja sobre o próprio ambiente para tornar tal mudança adequada às suas necessidades, muito à maneira como o movimento de abertura de uma sinfonia cria um ambiente receptivo aos movimentos subseqüentes. Isto poderia ser feito através de propaganda e de outros meios indiretos, colaboração com outras organizações, criação de novos nichos de *marketing* através de ação e inovação empresarial, e vários outros meios. Consideremos, por exemplo, como um sindicato trabalhista pode mudar o ambiente de seus membros, pela greve, como uma empresa construtora pode procurar mudanças nas leis de zoneamento para aumentar os lucros de um projeto, ou como Gevirtz usou o *lobby* para conseguir reformas tributárias que iriam ajudar as pequenas empresas.

4. *Estabelecer uma nova ligação entre os ambientes externo e interno.* Usando este mecanismo, uma organização que prevê mudança procurará estabelecer um

Estratégia III: Confiança Através de Posicionamento   **139**

novo relacionamento entre os seus ambientes internos e ambientes externos previstos. A curto prazo, isto pode ser feito por barganha e negociação, onde tanto o ambiente interno como o externo se alteram para acomodar-se mais efetivamente (por exemplo, quando uma empresa concorda em melhorar as condições de trabalho com um sindicato, em troca de um acordo de não haver greve durante longo tempo). A longo prazo, a organização pode estabelecer novas ligações através de integração vertical, fusões e aquisições, ou sistemas inovadores de desenho. Por exemplo, o governo federal estabeleceu um Órgão de Proteção Ambiental para criar novos encadeamentos com a indústria e o público em geral, e as empresas petrolíferas muitas vezes estabelecem empreendimentos conjuntos com governos estrangeiros. Neste último caso, o empreendimento conjunto representa uma nova forma de organização para a empresa petrolífera, envolvendo alguns aspectos do setor público (por exemplo, taxas de juros preferenciais ou acesso a recursos) e alguns aspectos do setor privado (por exemplo, investimento privado), que a torna mais capaz para operar em um contexto estrangeiro.

Proporcionamos este pano de fundo sobre posicionamento a fim de preparar o terreno para a próxima seção, na qual introduziremos um método prático com o qual um líder pode começar a gerar confiança em uma organização. Este método, chamado QUEST (iniciais de *Quick Environmental Scanning Technique* = *Técnica Rápida de Esquadrinhamento Ambiental*), é um processo que permite aos líderes, administradores e planejadores de uma organização partilharem pontos de vista sobre os futuros ambientes externos que têm implicações críticas para o posicionamento da organização. Assim, com base nesse "esquadrinhamento ambiental", é possível escolher as opções de alta prioridade disponíveis para posicionar a organização. Nisso, todos os de-

140 LÍDERES

mais fatores que contribuem para a confiança — integridade, respeito mútuo, confiabilidade, competência e visão — são postos em jogo. Posteriormente, diremos mais a este respeito; no momento, vamos examinar uma hipotética sessão QUEST.

BUSCA DE POSIÇÃO

A cena era uma confortável sala de conferências em um hotel de veraneio. Quinze executivos de uma grande linha aérea, que vamos chamar de Global Airways, tinham sido reunidos para um programa QUEST pelo presidente da empresa.

Quando a reunião estava prestes a começar, o presidente olhou ao redor do salão e pensou sobre as pessoas que tinha reunido. Olhou para os dez membros da equipe de administração e ponderou como alguns deles, os mais antigos em particular, iriam reagir. Ele também tinha convidado alguns dos executivos mais jovens e promissores — um de *marketing*, um outro de pesquisa e desenvolvimento, um terceiro de uma subsidiária recentemente adquirida. Estavam lá três "pessoas de fora" — um consultor respeitado da indústria de linhas aéreas, um gerente financeiro de sua agência de propaganda, e um advogado que anteriormente fizera parte do Departamento Civil da Aeronáutica, em Washington.

O presidente pediu a atenção dos participantes. Expressou sua preocupação com as inúmeras mudanças que estavam ocorrendo no ramo de linhas aéreas, em resultado de novas regulamentações do governo, altos custos do combustível, mudanças tecnológicas nas aeronaves, concorrência com novas linhas aéreas não sindicalizadas, e mudanças de atitudes do consumidor em relação aos vôos. Ele esperava que, em conjunto, pudessem ser capazes de surgir com algumas novas direções

Estratégia III: Confiança Através de Posicionamento 141

para a Global Airways. Pediu às pessoas que pusessem de lado suas preocupações operativas cotidianas e que pensassem "alto", junto com ele, sobre as oportunidades e riscos de longo prazo. Desejava que fossem francos, participantes, criativos e que ficassem satisfeitos por terem participado. Depois, cedeu o lugar a seu diretor de planejamento, Walter Poulson.

Poulson resumiu o processo QUEST para o grupo. Este dia, disse ele, seria passado em especulação de grande alcance sobre as forças que moldam o futuro da Global Airways e seus inter-relacionamentos. Mais tarde ele analisaria o trabalho do grupo e prepararia de três a cinco cenários refletindo seus pontos de vista sobre como poderia se desenrolar o ambiente futuro. Depois, quando todos tivessem a oportunidade de ler o relatório, eles se reuniriam novamente para discutir as implicações dos cenários para a empresa.

A fim de estimular suas imaginações, Poulson revisou brevemente um pouco da literatura do futuro — *A Terceira Onda*, de Alvin Toffler, *Megatrends*, de John Naisbitt, *Aquarian Conspiracy*, de Marilyn Ferguson, *The Next American Frontier*, de Robert Reich, e outros. Os pontos de vista desses livros iam da simples extrapolação das tendências atuais, ou "negócios rotineiros" às expectativas de uma transformação societária muito radical, em resultado das grandes mudanças em tecnologia, valores e estilos de vida.

Poulson pediu ao grupo para ajudar a não desviar a discussão. Alguns pensavam que deviam considerar toda a indústria de viagens e turismo, mas finalmente decidiram se concentrar no negócio de linhas aéreas e suas atividades de apoio imediato. Alguns pensavam que deviam restringir a sua atenção somente aos cinco próximos anos, aproximadamente, em virtude das impressionantes mudanças na indústria, mas um dos vice-presidentes indicou que qualquer grande decisão de posicionamento

142 LÍDERES

— como novas instalações, configurações da frota, ou rotas — levaria muitos anos para ser implementada e podia não ocorrer até 1990. Todos concordaram em enfocar os anos em que estas decisões gerariam lucros (isto é, 1990-2000). Um dos executivos de linha observou, "Eu não sei o que vai acontecer na semana que vem, quanto mais daqui a quinze anos". O presidente replicou que ninguém pode predizer o que *acontecerá*, mas certamente este grupo estava suficientemente informado para identificar a maioria das coisas que *poderiam* acontecer, e isto proporcionaria orientação útil para avaliar o risco de se partir em uma nova direção.

A seguir, Poulson fez com que os participantes arrolassem os "principais interessados" na empresa — os indivíduos ou grupos que poderiam afetar ou ser afetados pelas ações futuras da Global Airways. O grupo citou rapidamente mais de vinte desses elementos, que ele registrou devidamente em uma grande folha de papel. Incluíram passageiros, empregados, acionistas, concorrentes, o governo federal, os interesses estaduais e locais, a administração da empresa, os banqueiros e até mesmo, conforme foi apontado por um participante, "minha esposa". Quando todos os elementos foram arrolados, uma deliberação mostrou que os três mais importantes eram os passageiros, os empregados e os acionistas. A cada participante Poulson perguntou o que cada um desses elementos principais gostaria que a Global Airways fizesse (ou fosse impedida de fazer) nas duas próximas décadas. Logo foi desenvolvida uma longa lista — por exemplo, em relação a "passageiros", incluíam-se itens tais como serviço de alta qualidade, segurança, tarifas baixas, confiabilidade de horário, conveniência e conforto.

Depois do intervalo para o café, o grupo discutiu indicadores de desempenho. A pergunta de Poulson foi, "Se vocês voltassem vinte anos atrás e quisessem enten-

Estratégia III: Confiança Através de Posicionamento **143**

der a posição da Global Airways e medir o seu sucesso nos anos intervenientes, sobre o que perguntariam?". Foram sugeridos cerca de trinta indicadores, inclusive medidas de rentabilidade, eficiência, risco financeiro, relacionamentos com os empregados, satisfação do mercado e registros de segurança. O grupo escolheu as cinco medidas mais importantes, que deviam proporcionar, mais tarde, a base para avaliar as várias opções de posicionamento disponíveis.

Poulson, depois, apresentou a seguinte pergunta: "Quais são os eventos críticos que poderiam ocorrer entre o presente e o ano 2000, e que, se ocorressem, teriam o maior impacto sobre a viabilidade da Global Airways? Em outras palavras, quero que pensemos sobre os eventos que consideramos importantes o suficiente para neles concentrarmos nossa atenção, ainda que eles agora não pareçam ser muito prováveis. Primeiramente, vamos pensar sobre os eventos que, se ocorressem, afetariam a estrutura e a concorrência no ramo de linhas aéreas". Isto levou a uma agitada discussão, na qual foram identificados quarenta e cinco eventos, incluindo os arrolados abaixo.

Alguns Eventos Que Podem Afetar a Concorrência ou a Estrutura da Indústria

1. Limitação dos vôos de certos aeroportos
2. Sindicalização nacional dos pilotos
3. Expansão da sindicalização para cobrir ocupações que atualmente não estão sindicalizadas
4. Modernização da frota de uma grande linha aérea
5. Superexpansão por parte de uma grande linha aérea
6. Um grande acidente de linha aérea
7. Onda de terrorismo em linha aérea
8. Falência de uma grande linha aérea

144 LÍDERES

9. Computadorização dos sistemas de reserva, possibilitando minimizar os custos de tarifa para cada passageiro
10. Criação de um mercado futuro para passagens aéreas
11. Entrada de novas grandes empresas no negócio
12. Estabelecimento de diversas linhas, todas de primeira classe
13. Uma fusão entre uma grande linha aérea e uma empresa de ônibus
14. Uma fusão entre duas grandes linhas aéreas
15. Dominação crescente por parte de linhas aéreas de baixo custo
16. Penetração, nos Estados Unidos, de linhas aéreas estrangeiras
17. Compra de linhas aéreas por empresas de viagens ou financeiras
18. Uso de televisão por cabo, de duas vias, para a compra de passagens e recebimento de informações de viagem dentro do próprio lar
19. Nacionalização das linhas aéreas
20. Declaração de que um tipo fundamental de aeronave é inseguro

Igualmente, fizeram um levantamento de todas as possíveis ações governamentais durante as próximas duas décadas, listando "rígido controle por governos locais", "novos regulamentos de segurança", e "ajuda concedida pelo governo a linhas aéreas na eminência de falir", entre os trinta e tantos itens nesta categoria. Depois do almoço, cobriram as categorias que incluíam tecnologia (por exemplo, transporte ferroviário de alta velocidade entre cidades, automação para reduzir o trabalho humano, aeronave de decolagem e aterrissagem curtas); desenvolvimento econômico (por exemplo, impossibilidade de maior oferta de petróleo, inflação rápida); passageiros (por exemplo, menor necessidade de viajar, aumento

Estratégia III: Confiança Através de Posicionamento   145

do uso de vôos privativos); e outros pontos relacionados a recursos humanos, mercados de capital, desenvolvimento internacionais etc. Às 15:00 horas tinham identificado mais de 200 grandes eventos. Foi feita uma votação para escolher os de maior impacto.

Quando a tabulação ficou completa, tornou-se óbvio que somente uma dezena de eventos tinha atraído a maioria dos votos, indicando claramente que estes solicitariam atenção particular na decisão de posicionamento. Eles examinaram cada um deles, reformulando-os cuidadosamente, de modo que todos concordaram sobre o significado de cada um. Por exemplo, quatro dos eventos — originalmente listados como maximização da eficiência, falência de linha aérea, diminuição de viagens de negócios e nova regulamentação — foram mais claramente enquadrados, da seguinte forma:

1. Maximização da eficiência. Os desenvolvimentos tecnológicos reduzem a mão-de-obra humana em operações de linha aérea em pelo menos 25% dos níveis atuais.

2. Falência de linha aérea. Uma ou mais das atuais linhas aéreas solicita falência.

3. Diminuição de viagens de negócios. O volume de viagens pelas linhas aéreas deixa de aumentar devido à expansão do uso de teleconferências e outras tecnologias avançadas de computação e comunicações.

4. Nova regulamentação. A regulamentação de uma linha aérea é invertida, e o ramo é novamente regulamentado para melhorar sua viabilidade econômica.

Com todos os doze eventos definidos, Poulson pediu a cada participante que escrevesse uma estimativa da probabilidade de sua ocorrência no ano 2000. Quando as estimativas foram tabuladas, mostraram um consenso bastante forte sobre a probabilidade de alguns dos eventos, mas discordância em outros. Ele focalizou a atenção

146 LÍDERES

sobre este último ponto, pedindo àqueles das extremidades alta e baixa da distribuição que apresentassem suas lógicas. Foi feita uma outra rodada de estimativas de probabilidade, e começou a haver um pouco de convergência. Poulson indicou que não era necessário forçar um consenso, mas somente entender as razões da discordância. Já que todos os eventos na lista curta tinham sido julgados como de grande impacto sobre a Global Airways, os que também tinham tido uma alta probabilidade de ocorrência pareciam demandar atenção imediata para decisões de posicionamento. Os demais eventos, com probabilidade mais baixa de ocorrência, exigiam pelo menos um acompanhamento sistemático e reavaliação constante no decorrer do tempo.

Já estava ficando tarde, mas ainda havia uma tarefa adicional a ser executada. Poulson introduziu a idéia de uma "matriz de impacto cruzado", usando o desenho simples da Figura 5. Esta poderia ser usada para prover um modelo de como cada participante pensa que o mundo funciona. Ele distribuiu uma matriz contendo todos os doze eventos registrados no sentido vertical e horizontal, incluindo cinco dos maiores indicadores de desempenho. A seguir, pediu que cada pessoa preenchesse a matriz.

De início, alguns dos veteranos da Global objetaram; a tarefa parecia muito complicada. Mas, depois que a iniciaram, viram que era realmente bastante desafiador tentar compreender como estes eventos importantes afetam um ao outro. Dentro de trinta ou quarenta minutos, todos os participantes tinham preenchido suas matrizes. Poulson agradeceu a sua participação e perguntou o que acharam das experiências do dia. Um disse, "Isso me deu oportunidade de testar minhas suposições em comparação ao restante dos colegas". Um outro observou, "Geramos uma porção de coisas e estou impressionado como nosso ambiente competitivo está

Eventos	Probabilidade de ocorrência no ano 2000	Eventos				Tendências	
		1. Maximização da eficiência	2. Falência de linha aérea	3. Diminuição de viagens de negócios	4. Regulamentação	Rentabilidade da Global Airways	Qualidade das relações com os empregados
1. Maximização da eficiência	0,8	▨					
2. Falência de linha aérea	0,9		▨				
3. Diminuição de viagens de negócios	0,3		+2	▨			
4. Regulamentação	0,4				▨		

* Para preencher esta matriz, coloque um código em cada casa, representando a extensão em que a ocorrência de um evento afeta a probabilidade de ocorrência de um outro, ou a projeção de uma tendência. Pode ser usado um mecanismo simples de codificação, indo de +3 (representando uma probabilidade grandemente aumentada de ocorrência) a zero, (representando nenhum impacto) até –3 (representando uma probabilidade grandemente diminuída de ocorrência). Os espaços em preto são ignorados. Por exemplo, o lançamento na casa 3-2 significa que se as viagens de negócios diminuem, há uma probabilidade maior de falência de uma linha aérea.

Figura 5 Matriz de impacto cruzado.

148 LÍDERES

ficando complexo, mas não sei como é que tudo isto se junta". A isto, Poulson replicou, "Acho que agora está em minhas mãos. Vou levar tudo o que vocês geraram, incluindo os gráficos de impacto cruzado, e tentar desenvolver alguns temas em torno dos quais poderei organizar nossa próxima reunião. Enviarei o relatório logo que esteja pronto e, quando o receberem, espero que passem alguns minutos pensando a respeito de algumas das implicações estratégicas destes ambientes para a Global Airways". O presidente encerrou a reunião agradecendo a todos por sua participação, entusiasmo e criatividade. A reunião terminou, mas quase todos permaneceram no bar do hotel durante várias horas, discutindo o exercício.

No dia seguinte Poulson começou a escrever o seu relatório sobre a reunião. Primeiramente ele notou que o grupo havia definido a amplitude da indagação muito estreitamente, já que limitando a discussão somente ao movimento de passageiros e carga não consideraram empresas complementares ou concorrentes como hotéis, restaurantes e agências de viagem, que poderiam proporcionar oportunidades rentáveis. Julgou que era melhor apontar isso no relatório, de modo que o assunto fosse discutido na próxima reunião. Examinando os interesses dos elementos-chave e as medidas de desempenho, notou que estas refletiam apenas parcialmente os interesses daqueles, e tomou nota porque isto também poderia exigir um pouco de atenção adicional. Depois, olhou o conjunto de eventos identificados pelos participantes, principalmente os que não tinham sido incluídos entre os doze primeiros, em termos de importância. Pensou que muitos dos que receberam menos votos eram interessantes e tomou nota para incluí-los nos cenários.

Com o auxílio de um dos membros de sua assessoria, Poulson combinou todas as quinze matrizes de impacto cruzado em uma única. Como esperava, algumas das casas da matriz combinada mostraram consenso muito alto sobre a extensão em que os eventos estavam inter-relacionados, mas outras não mostravam consenso algum. Ele marcou estas casas para exame posterior. Depois, olhou todas as doze fileiras da matriz. Algumas continham muitos lançamentos, mostrando que esses eventos eram forças impulsoras significativas; isto é, sua ocorrência mudava muito a probabilidade de ocorrência de outros eventos. Estes começaram a sugerir temas para os cenários. Olhou as colunas e notou que algumas tinham muitos lançamentos, indicando que eram eventos reatores importantes — isto é, que eram pesadamente impulsionados por outros eventos. Nestes casos, notou que um evento podia ter uma baixa probabilidade de ocorrência, mas, se ocorressem certos outros eventos, sua probabilidade podia aumentar muito, e estes relacionamentos mereciam ser salientados. Também estudou a matriz combinada para tentar entender quais dos eventos tendiam a exercer a maior influência nas tendências dos indicadores que refletiam o desempenho de longo prazo da Global Airways.

Depois, Poulson começou a trabalhar nos cenários. Desejava escrever três ou quatro pequenas "histórias", cada uma combinando conjuntos de eventos e tendências em uma descrição lógica e coerente de como os ambientes externos da Global Airways podiam evoluir nas próximas duas décadas. Depois de estudar a matriz de impacto cruzado e a lista de eventos, começou a ver algumas configurações. Alguns dos eventos representavam apenas mudanças de menor importância, relativamente à situação presente. Estes, ele aglomerou em um cenário rotulado "negócios como de costume", que mostrava como o ambiente poderia evoluir com relativamente pouca mudança quanto à situação presente. Outros eventos pareciam sugerir futuros mais radicais. Por fim, aglomerou-se em três outros cenários, que rotu-

150 LÍDERES

lou "impulsionados pelo mercado", "impulsionados pelo governo", e "alta pressão econômica". O cenário impulsionado pelo mercado era otimista no geral, permitindo considerável expansão de viagens e da indústria de linha aérea. O cenário de alta pressão econômica mostrava as condições econômicas piorando de um modo geral. O cenário impulsionado pelo governo era caracterizado por muito mais intervenção governamental no ramo do que seria o caso se as tendências correntes continuassem. Cada um dos cenários visava a ser bastante diferente dos outros, internamente coerente, plausível, suficientemente detalhado para ser usado em decisões de posicionamento e, o mais importante, refletia as expectativas dos participantes, conforme tinham sido manifestadas na reunião.

Poulson incluiu todo este material no relatório e acrescentou como apêndices todas as listas que haviam sido desenvolvidas. O relatório foi distribuído aos participantes dez dias antes da segunda reunião, de modo que cada pessoa teria a oportunidade de considerar as suas implicações estratégicas.

Os participantes reuniram-se novamente, desta vez na sala do conselho de administração da empresa. Poulson começou pedindo comentários sobre o relatório e quaisquer novos discernimentos que os participantes pudessem ter tido desde a reunião anterior. Após uma discussão geral, ele pediu ao grupo para examinar cada cenário separadamente e arrolar os pontos fortes e fracos da organização ao tratar de cada determinado ambiente. Os pontos fortes tenderam a enfocar a administração da empresa, a imagem no mercado, a estrutura de rotas e a relativa sofisticação tecnológica. Os pontos fracos tenderam a enfocar problemas com o sindicato, dificuldades em obter financiamento e fraquezas competitivas relativamente a algumas das linhas aéreas mais novas.

Estratégia III: Confiança Através de Posicionamento 151

Poulson passou ao propósito principal da segunda reunião, que era identificar as opções de posicionamento, usando as categorias desenvolvidas anteriormente neste capítulo. Quando pediu opções de posicionamento "reativo", houve muitas sugestões, incluindo:

- Desenvolver um sistema de acompanhamento de tendência, a fim de obter bem cedo um aviso de mudança ambiental.
- Descobrir fornecedores adicionais de combustível para a aviação a fim de reduzir a dependência dos atuais vendedores.
- Vender algumas das aeronaves velhas e rescindir seu contrato de *leasing* a fim de reduzir a vulnerabilidade no evento de grandes mudanças tecnológicas no desenho de aeronaves.

Sob "mudança do ambiente interno", o grupo arrolou uma grande variedade de opções, inclusive as seguintes:

- Mudar a estrutura de rotas.
- Reconfigurar a frota de aeronaves, a fim de aumentar o número de assentos disponíveis.
- Mudar a estrutura organizacional para ser mais voltada para o mercado, com departamentos especiais enfocando determinados segmentos dele.

Sob o título "mudança do ambiente externo", o grupo identificou opções tais como as seguintes:

- Aumentar os esforços junto aos meios políticos a fim de ser conseguido tratamento preferencial para as linhas aéreas em casos de escassez de combustível.
- Criar um novo programa de propaganda para tornar a viagem internacional mais atraente para os aposentados.
- Esquematizar um método para a venda direta de passagens aos usuários freqüentes, em seus computadores pessoais.

152 LÍDERES

Finalmente, na categoria rotulada "estabelecimento de novos relacionamentos entre os ambientes interno e externo", foram propostas muitas idéias, incluindo as seguintes:

- Desenvolver uma nova disposição com o sindicato, em que parte de cada ordenado inclui uma bonificação que é paga somente se a empresa for rentável.
- Adquirir uma cadeia de agências de viagem.
- Procurar um acordo conjunto com um governo estrangeiro para a administração de suas linhas aéreas nacionais.

Em poucas horas o grupo tinha identificado mais de 150 de tais opções de posicionamento. Algumas provocaram risos porque pareciam estar "muito fora", mas até estas usualmente estimularam a apresentação das outras propostas sérias, que todos concordaram que eram criativas e inovadoras. Depois que terminaram, Poulson pediu ao grupo para votar nas dez escolhas melhores, nas opções que pareciam oferecer a maior compensação a longo prazo para a Global Airways. Depois do almoço, quando foram revelados os resultados da votação, ficou claro que quatro das opções tinham atraído muito mais atenção do que as restantes. A essa altura, o presidente sugeriu que fossem estabelecidas forças-tarefas para analisar cada uma das quatro opções principais e relatar de volta ao grupo dentro de vários meses.

Como ainda havia algum tempo sobrando, Poulson sugeriu que o restante do dia fosse usado para proporcionar orientação às forças-tarefas. O grupo enfocou uma opção por vez, discutindo várias alternativas, os possíveis riscos e recompensas envolvidos, requisitos de recursos, e impactos sobre os vários interessados. Os chefes de cada força-tarefa tiveram a oportunidade de buscar esclarecimento do grupo todo, de modo que pudes-

Estratégia III: Confiança Através de Posicionamento 153

sem prosseguir com a análise.

O presidente encerrou a sessão com algumas observações. Disse:

> Creio que podemos ficar orgulhosos do trabalho que realizamos nestas duas reuniões. Percebemos que todos compartilhamos um entendimento comum das possíveis direções de nosso futuro, e estou impressionado com o fato de vocês parecerem concordar com as principais estratégias que são dignas de consideração. Sei que consegui obter um novo discernimento de assuntos que anteriormente pareciam algo vagos. Creio que todos nos beneficiamos ao tentar entender os pontos de vista um do outro com relação ao que está se passando e o que poderia acontecer. Agora precisamos seguir em frente. Posso prometer-lhes que daremos a mais séria consideração aos relatórios de suas forças-tarefas. Se continuarmos a trabalhar juntos desta maneira, e estou certo de que o faremos, vejo um grande futuro para esta empresa. Muito obrigado por seu auxílio e fico aguardando seus relatórios.

Mais tarde, naquela noite, à medida que refletia sobre os acontecimentos do dia, o presidente sentiu que tinha feito um progresso significativo no sentido de ganhar a confiança e o comprometimento de seus colegas de administração. Em virtude da melhoria em seu entendimento comum do ambiente externo, estava certo de que eles se tornariam mais efetivos na administração de áreas funcionais. Também pensou que todos tinham desenvolvido um novo senso de comprometimento para com o futuro da organização e tinham aprendido muito sobre suas preocupações comuns relativas à vulnerabilidade à mudança. Para alguns, esta tinha sido uma das raras oportunidades de tratar do futuro de longo prazo, e ele via isso como uma experiência de crescimento para eles. Para outros, pensou que o exercício criaria um apetite para análise mais detalhada e minuciosa dos ambien-

154 LÍDERES

tes futuros. Certamente as forças-tarefas teriam de examinar mais profundamente as implicações de longo prazo das opções identificadas pelo grupo, e elas provavelmente quereriam testar alguns de seus pontos de vista contra as fontes externas, à medida que trabalhavam.

LIÇÕES PARA LIDERANÇA

Não estamos argumentando que um exercício de dois dias seja tudo quanto é necessário para que um líder forme confiança em uma organização. Obviamente, a confiança é formada durante um longo período de tempo e uma grande quantidade de circunstâncias. Conforme disse Donald Frey, diretor da Bell & Howell, "Você tem de ser paciente para reposicionar uma empresa". Mesmo assim, o exercício QUEST ilustra muitos dos elementos importantes que formam confiança. Proporciona um cadinho no qual o líder pode demonstrar as qualidades pessoais e organizacionais que engendram a confiança, tais como respeito mútuo, competência e integridade.

Harold Williams toca este ponto quando descreve suas primeiras experiências como presidente do conselho de administração da SEC:

> Se existe alguma coisa acerca da qual eu me sinta bem [na Comissão], é a maneira pela qual me saí em termos de meus próprios valores pessoais e do meu eu pessoal. Se você acredita em seu curso, você deve permanecer nele. Acho que ocasionalmente é difícil — quando há pressão em cima de você e você começa a ouvir as vozes do Capitólio e sabe que até mesmo alguns de sua própria assessoria estão alimentando as histórias e a comunidade empresarial está em pé de guerra, e houve diversas ocasiões em que *tudo* estava indo dessa forma... Mas se você acredita que está certo, e você tem a sua própria integridade — e creio que é onde isso real-

Estratégia III: Confiança Através de Posicionamento 155

mente termina — ou seja, "Você acredita no que está fazendo?", não modifique nada. Eu não poderia modificar o curso e ainda me respeitar.

À guisa de conclusão, vamos voltar aos dois aspectos mais significativos do nosso exercício QUEST e aos pivôs ao redor dos quais gira este capítulo sobre administração de confiança: visão e posicionamento. Consideremos a maneira, em particular, como o posicionamento e a confiança se acham entrelaçados nas atividades mais fundamentais dos líderes:

1. Todos os líderes enfrentam o desafio de sobrepujar a resistência à mudança. Alguns procuram fazer isto pelo simples exercício de poder e controle, mas os líderes efetivos, como os nossos noventa, aprenderam que existem maneiras melhores de vencer a resistência à mudança. Isto envolve a consecução de comprometimento voluntário para com valores partilhados. Um de nossos líderes, o regente de uma grande orquestra sinfônica, disse-nos:

> Neste caso, penso que nesta pequena ilha que chamamos de Filarmônica, compreendi o estado da verdadeira *civilità* — civilidade considerada entre iguais. Espero que não tenha sido uma ilusão. Nunca tive de dizer uma palavra negativa. Mesmo em situações delicadas, expliquei os meus pontos de vista para a orquestra. Não os impus. A resposta correta, se forçada, não é a mesma que tal resposta quando esta é proveniente de convicção.

2. Um líder muitas vezes precisa intermediar as necessidades dos constituintes tanto de dentro como de fora da organização. Esta função exige sensibilidade para as necessidades de muitos elementos-chave e um senso claro da posição da organização.

3. O líder é responsável pelo conjunto de princípios ou normas que regem o comportamento das pessoas na

156 LÍDERES

organização. Os líderes podem estabelecer um conjunto de princípios de diversas maneiras. Uma é demonstrar pelo próprio comportamento seu comprometimento para com um conjunto de princípios que estão tentando institucionalizar. Para todos os que trabalham na Dayton Hudson Corporation, Kenneth Dayton serve como exemplo de um conjunto coerente de princípios morais relacionados à qualidade, responsabilidade social, inovação e dedicação. Os líderes estabelecem o tom escolhendo cuidadosamente as pessoas de que se cercam, comunicando um senso de propósito para a organização, reforçando os comportamentos apropriados e articulando estas posições morais para os constituintes externos e internos.

No fim, confiança, integridade e posicionamento são faces diferentes de uma propriedade comum da liderança — a capacidade de integrar aqueles que têm de agir com aquilo que deve ser feito, de modo que tudo se reúna como um único organismo em harmonia consigo mesmo e com seu nicho no ambiente.

Estratégia IV:
O Desenvolvimento do Eu

Todos nós temos medo — de nossa confiança, de nosso futuro, de nosso mundo. Esta é a natureza da imaginação humana. Não obstante, cada homem, cada civilização, foi em frente por causa de seu comprometimento com o que determinou fazer. O comprometimento pessoal de um homem para com sua habilidade, o comprometimento intelectual e o emocional funcionando em conjunto, como um só, fizeram a Ascenção do Homem.

Jacob Bronowski
The Ascent of Man, 1973

Quando perguntamos aos nossos noventa líderes sobre as qualidades pessoais que precisavam para dirigir suas organizações, eles não mencionaram carisma, forma de vestir-se, administração do tempo, ou qualquer outra das fórmulas tidas como sábias na imprensa popular. Ao invés, falaram de persistência e de autoconhecimento; sobre a disposição para assumir riscos e aceitar perdas; sobre comprometimento, coerência e desafio. Mas, acima de tudo, falaram acerca de aprendizagem.

158 LÍDERES

Líderes são aprendizes perpétuos. Alguns são leitores vorazes, como Franklin Murphy, diretor do *Los Angeles Time*, cujo interesse pela leitura começou cedo, com um pai que ele descreveu como "um grande colecionador e admirador de livros". Muitos aprendem principalmente com os outros. Este é o estilo de Don Gevirtz, presidente do Foothill Group, que se cerca de políticos e acadêmicos, e Jerry Neely, chefe da Smith International, que passa uma grande parte de seu tempo com os clientes. Quase todos os líderes são muito proficientes em aprender a partir de experiências. A maioria conseguiu identificar um pequeno número de mentores e experiências decisivas que moldaram poderosamente suas filosofias, personalidades, aspirações e estilos de operação. Todos eles se consideram como alguém que está "se desenvolvendo", "crescendo" e "abrindo novos campos".

A aprendizagem é o combustível essencial para o líder, a fonte de energia que mantém a atividade através do aparecimento de novo entendimento, novas idéias e novos desafios. É absolutamente indispensável sob as condições atuais de rápida mudança e complexidade. Simplesmente, os que não aprendem não sobrevivem muito tempo como líderes.

Mas não estamos aprendendo o tempo todo? O que há de tão especial a respeito de líderes? Nossas entrevistas proporcionaram a resposta. Os líderes descobriram não apenas como aprender, mas também como aprender *em um contexto organizacional*. Eles conseguem se concentrar no que mais importa para a organização e utilizá-la como um ambiente de aprendizagem. Dos líderes, os que tiveram maior sucesso fizeram isso desenvolvendo uma série de habilidades que Donald Michael chama de "a nova competência", a qual ele identifica como se segue:

1. Reconhecer e partilhar a incerteza.

Estratégia IV: O Desenvolvimento do Eu **159**

2. Aceitar o erro.

3. Responder ao futuro.

4. Tornar-se interpessoalmente competente (isto é, escutar, nutrir, enfrentar os conflitos de valor etc.).

5. Obter autoconhecimento.[1]

Estas habilidades surgiram muitas vezes em nossas discussões. Disseram-nos como os líderes reconhecem e partilham a incerteza nos ambientes de força-tarefa com os colegas, como usam seus erros como experiências de aprendizagem, como se empenham no estabelecimento de metas para forçar o reexame dos pressupostos e prioridades atuais, como usam suas habilidades interpessoais para encorajar os outros a se juntarem a eles na busca de novas idéias, e como constantemente melhoram seu entendimento de seus próprios limites e vieses, confrontando seus pontos de vista com os dos colegas informados e especialistas de fora.

Alguns líderes tornam-se especialistas em uma determinada espécie de aprendizagem — a aprendizagem em um contexto organizacional. Porém, ainda mais importante, e o fator que realmente diferencia aprendizagem de liderança de outros tipos de aprendizagem, é o papel do líder na *aprendizagem organizacional*, a administração do eu coletivo.

A ORGANIZAÇÃO DA APRENDIZAGEM

Quando o Departamento de Justiça dos Estados Unidos decidiu no início de 1982 que as vinte e duas empresas Bell, avaliadas em mais de $ 125 bilhões, tinham de ser reestruturadas em um período de dois anos, a AT&T enfrentou mais do que uma reestruturação maciça. Teve de mudar o seu caráter fundamental. Já não seria mais um serviço de utilidade pública regulamentado e garantido por medidas protecionistas. De algum modo tinha de transformar-se em uma empresa competitiva voltada

160 LÍDERES

para riscos. Não somente os líderes, como também a administração e todas as pessoas ligadas à AT&T, individual ou coletivamente, tinham de aprender como operar em uma nova modalidade. Tinham de ser aprendidos relacionamentos, funções, práticas de operação, metas, valores e estratégias totalmente novos. Como líder, o presidente do conselho da AT&T, Charles L. Brown, teve de dirigir sua empresa durante esta transição perigosa.

Conquanto dramático, o exemplo da AT&T está longe de ser único. As organizações estão se alterando constantemente. Algumas vezes, como em fusões ou novas instalações de fábricas, estas mudanças podem ser rápidas e violentas. Com mais freqüência as mudanças ocorrem mais devagar e aos poucos — um produto novo aqui, alguns cortes de pessoal ali, um empreendimento conjunto em algum outro lugar. Mas, rápida ou lentamente, em grande escala ou aos poucos, as organizações estão constantemente se transformando. Estão sempre aprendendo.

A aprendizagem organizacional é o processo pelo qual uma organização obtém e emprega conhecimentos novos, novas ferramentas, comportamentos e valores. Isso acontece em todos os seus níveis — entre indivíduos e grupos, bem como no sistema todo. A aprendizagem torna-se parte das atividades diárias dos indivíduos, particularmente à medida que interagem entre si ou com o mundo externo. Os grupos aprendem quando seus membros cooperam para a realização de metas comuns. O sistema todo aprende quando obtém retroinformação do ambiente e prevê mudanças ulteriores. Em todos os níveis, o conhecimento recém-aprendido é traduzido em novas metas, procedimentos, expectativas, estruturas de papéis e medidas de sucesso.

Talvez o exemplo mais claro de aprendizagem organizacional seja proporcionado por um exército. Cada

Estratégia IV: O Desenvolvimento do Eu   161

membro de uma unidade militar ingressa nela com diferentes valores, educação, aptidões, motivações e crenças. Cada indivíduo precisa adquirir algumas habilidades básicas de sobrevivência e um nível mínimo de proficiência em diversas atividades físicas e mentais. Grupos de soldados aprendem como agir como uma unidade coerente, em que cada indivíduo desempenha otimamente seu papel e apóia os demais na unidade, para que o empreendimento conjunto tenha sucesso. A confiança mútua, os valores partilhados, as boas comunicações internas, o julgamento efetivo sob pressão e a rápida resposta de equipe à mudança externa precisam ser aprendidos pelo grupo, através de uma série de exercícios de treinamento antes das situações de combate, e contínua prestação de contas, reavaliação e reforço durante os combates. Além disso, o exército todo precisa aprender como enfrentar uma vasta faixa de possíveis situações de combate que podem envolver muitos e diferentes oponentes, ameaças, missões, condições geográficas e ocasiões de comando. Isto ocorre através de análise e exercícios de guerra que influenciam o tipo de armas a serem adquiridas, a forma como o exército deve ser estruturado e as regras que são necessárias para aumentar sua presteza para agir em reação, ou em antecipação, aos verdadeiros combates.

As empresas não são diferentes. A AT&T teve de aprender nos níveis individual, grupal e organizacional como enfrentar a reestruturação. A General Motors está tentando aprender em cada nível a concorrer com a Toyota sob as novas condições do mercado. A Johnson & Johnson aprendeu muito depressa como lidar com uma crise ambiental — a morte de diversas pessoas em virtude do cianeto que havia colocado nas cápsulas de Tylenol Extra Forte. A Sears, Roebuck and Co. está aprendendo como tornar-se uma potência financeira. Em todos estes casos e milhares de outros, a aprendizagem organizacional é a maneira pela qual a empresa

162 LÍDERES

aumenta seu potencial de sobrevivência, aumentando sua presteza para enfrentar novas mudanças e oportunidades.

Ocorre um pouco de aprendizagem organizacional todas as vezes que um grupo de pessoas se acha engajado em um empreendimento comum. Em um recente trabalho de vulto patrocinado pelo Clube de Roma, foi feita uma distinção importante entre aprendizagem de manutenção e aprendizagem inovadora, como se segue:

> A aprendizagem de manutenção é a aquisição de perspectivas, métodos e regras fixos para lidar com as situações conhecidas e recorrentes. Ela aumenta nossa capacidade para solucionar problemas. É o tipo de aprendizagem destinado a manter um sistema existente ou um modo de vida estabelecido. A aprendizagem de manutenção é e continuará a ser indispensável ao funcionamento e estabilidade de todas as sociedades. Mas para a sobrevivência a longo prazo, particularmente em épocas de turbulência, mudança ou descontinuidade, um outro tipo de aprendizagem é ainda mais essencial. É a aprendizagem que pode trazer mudança, renovação, reestruturação e reformulação de problema — denominada aprendizagem inovadora.[2]

Hoje, em muitas organizações, a aprendizagem de manutenção tem sido bem desenvolvida e cuidadosamente institucionalizada. Isto é necessário, mas não suficiente. Em aprendizagem de manutenção, o desempenho corrente é comparado somente com o desempenho passado, não com o que poderia ter sido ou o que ainda poderá ocorrer. A ação corretiva visa a tratar das fraquezas e falhas percebidas, não a construir sobre os pontos fortes e novas oportunidades. E as estruturas de trabalho reforçam toda esta tendência de restringir a aprendizagem ao que é necessário para manter um sistema existente.

A aprendizagem inovadora é mais difícil, porque enfoca preparar a organização para ação em novas situações, exigindo a previsão de ambientes que ainda não apareceram. Não há contextos conhecidos dentro dos quais possa ocorrer a aprendizagem inovadora; de fato, a construção de contextos novos é precisamente uma de suas tarefas. A aprendizagem inovadora trata dos assuntos *emergentes* — assuntos que podem ser únicos, de modo que não há oportunidade para aprender por ensaio e erro; assuntos para os quais não são conhecidas soluções; e assuntos cuja própria formulação pode ser uma questão de controvérsia e dúvida. Por conseguinte, a aprendizagem inovadora muitas vezes tem sido negligenciada, acarretando a muitas organizações problemas sérios em se adaptar às mudanças em seu ambiente. Em geral os administradores estão bem preparados para tratar da aprendizagem de manutenção, mas é responsabilidade do líder garantir a aprendizagem inovadora.

APRENDIZAGEM INOVADORA

Assim como as pessoas aprendem de maneiras diferentes, o mesmo ocorre com as organizações. Muito depende do propósito, cultura, ambiente, estilo operativo e capacidade da organização para absorver a mudança. Como ilustração, voltamos ao exemplo da reestruturação da AT&T, e exploraremos um pouco da aprendizagem organizacional que está tendo lugar nessa empresa:

1. *Reinterpretação da história*. Toda organização tem as suas experiências e tradições, algumas vezes incorporadas em histórias ou lendas de sucessos e fracassos passados. Na Ford ainda se fala do Modelo T e do Edsel; na Data General, relembram de forma bem-humorada seus famosos idos tempos quando enfrentaram a Digital

164 LÍDERES

Equipment Corporation no mercado de minicomputadores. Quando examinamos estas experiências à luz dos ambientes novos e em evolução, muitas vezes é possível tirar lições sobre o que funciona sob diferentes conjuntos de circunstâncias.

No caso da AT&T, há uma sólida tradição de serviço e qualidade, formada há mais de cem anos. Todos na empresa conhecem as lendas dos bravos guarda-fios da Bell System combatendo inundações e ventanias assustadoras para reparar as linhas telefônicas danificadas. Mas o desafio da liderança passou a ser como redefinir sua tradição de serviço e qualidade em termos da nova realidade e usá-la para competir com outros fabricantes que oferecem produtos mais baratos.

2. *Experimentação.* Uma organização pode testar hipóteses sobre a direção da mudança em seu ambiente, fazendo experimentos controlados e estudando seus efeitos. As empresas fazem isso freqüentemente com pesquisa de mercado. Os órgãos públicos fazem isso com discussões sobre a legislação proposta, a fim de obterem retroinformação. James MacGregor Burns escreveu que "os executivos operam intuitivamente e por meio da retroinformação. Tateiam seu caminho futuro afora, dando um passo de cada vez, sempre prontos para voltar atrás quando encontram obstáculos".[3]

Uma empresa que institucionalizou a experimentação como uma modalidade de aprendizagem organizacional é a 3M. Embora seja uma empresa gigantesca com vendas anuais que excedem $ 6 bilhões e cerca de 87.000 empregados, a 3M floresce operando como um grupo de pequenas unidades, com fábricas que empregam, em média, apenas 115 pessoas. O trabalho está organizado em pequenos projetos que enfocam determinados produtos ou mercados, e as pessoas com novas idéias têm muita liberdade para testá-las — quase tanto como se estivessem dirigindo uma nova empresa de sua propriedade. No

Estratégia IV: O Desenvolvimento do Eu **165**

decorrer dos anos, a 3M obteve uma ficha notável de crescimento e inovação de produtos usando esta abordagem.[4]

Um exemplo de experimentação na AT&T é o teste de *marketing* de um sistema avançado de controle de chamadas denominado Telstar, feito em Atlanta, em julho de 1983. De acordo com Randall Z. Tobias, presidente da Unidade de Produtos ao Consumidor da AT&T na Western Electric, o Telstar foi introduzido "menos de um ano depois da primeira reunião entre pessoas das áreas de *marketing*, produção e engenharia. Nunca tínhamos feito isso antes, porque nunca tínhamos precisado."[5] O Telstar não foi apenas um teste de mercado, mas também um experimento com toda uma nova abordagem organizacional para apressar os produtos, desde sua concepção até a implementação, na AT&T.

3. *Organizações análogas.* As organizações aprendem observando as experiências de outras organizações semelhantes. Os líderes da empresa lêem as publicações da classe, vão a reuniões da associação e discutem os problemas comuns da indústria com outros líderes. Durante muitos anos após a Segunda Guerra Mundial, os empresários japoneses aprenderam a competir nos mercados mundiais, estudando organizações análogas no estrangeiro. Hordas de administradores e engenheiros japoneses invadiram empresas dos Estados Unidos, tiraram milhões de instantâneos dos processos de produção, entrevistaram dezenas de milhares de profissionais americanos e foram para casa adaptar o melhor do que tinham aprendido para suas próprias firmas. Agora parece estar acontecendo o contrário. As firmas dos Estados Unidos estão estudando avidamente os métodos japoneses de administração. Um exemplo dramático é a "Buick City", um esforço de $ 300 milhões da General Motors para tentar igualar-se às bem-sucedidas fábricas japonesas de automóveis, que ligam sua própria produ-

166 LÍDERES

ção e processos de montagem com os dos principais fornecedores, a fim de reduzir o estoque e melhorar a qualidade.

A AT&T compreendeu que para ser competitiva depois de sua reestruturação necessitava tornar-se muito mais efetiva em *marketing*. A empresa estudou os processos de *marketing* de outras firmas eletrônicas; contratou Archie J. McGill, um executivo de vendas da IBM; reorganizou-se, como seus concorrentes, em linhas de negócio chefiadas por líderes com plena autoridade em produto; e estabeleceu acordos de *marketing* com grandes varejistas como Sears, Roebuck and Co. Wall Street ainda não está certa de que a AT&T tenha aprendido o suficiente a respeito de *marketing*, mas as mudanças foram rápidas e afetam cada nível da empresa.

4. *Processos analíticos.* Muitas organizações aprendem por um processo consciente de analisar as tendências no ambiente externo, identificando problemas que surgem e delineando novas maneiras de enfrentá-los. Conforme Alfred P. Sloan, Jr., o legendário líder da General Motors, disse, "O ato final do julgamento em presarial é, naturalmente, intuitivo... Mas o grande trabalho anterior a ele é encontrar e reconhecer os fatos e circunstâncias concernentes à tecnologia, mercado, e outros fatores que sofrem mudanças contínuas".[6] Este tema voltou repetidamente em nossas discussões com os noventa executivos; o julgamento intuitivo pelo líder é essencial, mas somente é efetivo quando precedido de análise minuciosa.

Muitas vezes a aprendizagem é facilitada por modelos de mudança no ambiente externo que podem ser largamente partilhados na organização. Um tipo comum de modelo é a planta, retratando o desenho proposto de uma instalação, produto ou peça de equipamento. Estudando a planta, os indivíduos e grupos desenvolvem uma visão partilhada do desenho proposto e são capazes de

Estratégia IV: O Desenvolvimento do Eu **167**

explorar seus pontos fortes e fracos, além de sua adequação. Em um nível mais conceptual, pensamentos descrevendo os planos propostos de *marketing* ou estratégias financeiras servem como modelos da mudança, da mesma maneira. A análise pode incluir grandes modelos de programação linear, modelos econométricos e modelos financeiros de folha de distribuição, que permitem às pessoas perguntarem "E se...?". A única razão para montar um modelo de sistemas complexos é empregá-lo como um instrumento para a aprendizagem individual e organizacional do sistema que ele representa.

Ouçam W. Brooke Tunstall, diretor de planejamento empresarial da AT&T, descrever alguns dos antecedentes analíticos necessários à reestruturação de sua firma:

> Na sede operacional da AT&T em Basking Ridge, Nova Jérsei, uma sala afastada de 6 x 9 m serve como centro de controle do trabalho de desagregação da Bell System... As paredes deste Centro Administrativo de Alienação da Empresa estão cobertas por gráficos de tempo, cronogramas e representações gráficas de problemas críticos. Um terminal de computador em um canto exibe instantaneamente qualquer das 300 hipóteses empresariais, 2.000 atividades de trabalho e/ou 150 acontecimentos principais subjacentes ao planejamento de cessão de bens.[7]

5. *Treinamento e educação.* Muitas organizações dão ênfase considerável ao processo de treinamento formal. Foi estimado que os empregadores dos Estados Unidos atualmente gastam entre $ 30 e $ 40 bilhões em educação e treinamento a cada ano, quase metade do montante despendido por todas as faculdades e universidades americanas em educação superior tradicional. O Centro de Educação Técnica da Bell System serve cerca de 30.000 estudantes todos os anos, com uma assessoria de 500 pessoas a tempo integral, ao passo que a NCR ensi-

168 LÍDERES

na 100.000 empregados por ano com uma assessoria de mais de 800 instrutores.[8] Conquanto grande parte deste treinamento se destine a melhorar as habilidades individuais, uma proporção cada vez maior dedica-se a experiências de formação de equipe e aprendizagem grupal. Alguns programas de treinamento — como, por exemplo, cursos sobre novas tecnologias e tendências da indústria — destinam-se, clara e diretamente, a auxiliar a organização a aprender a respeito de mudanças no ambiente. Mas, além dos cursos formais, ocorre muito treinamento informal como subproduto das comissões e das forças-tarefas estabelecidas para outros propósitos, e em instruções por parte dos fornecedores, consultores e auditores externos. Estas oportunidades de aprendizagem muitas vezes são suplementadas ou ampliadas através dos canais formais de comunicação, como circulares e avisos nos quadros de boletins.

O treinamento foi um elemento importante da aprendizagem organizacional ligada à reestruturação da AT&T. Uma vez o presidente Brown tinha declarado: "Precisamos estabelecer um curso que redirecione um grande negócio em uma nova trajetória igualmente grande", e assim houve esforços maciços de treinamento em todos os níveis a fim de desenvolver as habilidades necessárias. No Programa Bell de Administração Avançada, os administradores de nível médio-alto foram ensinados como "criar e implementar estratégias que manterão a empresa sempre voltada para a mudança, e a prever e responder a assuntos estratégicos do futuro em um ambiente empresarial que se modifica rapidamente".[9] Cerca de 2.000 administradores de subsidiárias reuniram-se para participar de uma série de Seminários de Política Empresarial, a fim de aprender as novas direções. Assessorias inteiras muitas vezes se envolveram em programas para criar novas metas e procedimentos operacionais. E a organização toda, da cúpula até as bases, foi inunda-

Estratégia IV: O Desenvolvimento do Eu **169**

da por circulares e memorandos anunciando, explicando, expandindo e revisando novas políticas e estratégias.

6. *Desaprendizagem.* Muito omitida é a "desaprendizagem", ou seja, o descartar o velho conhecimento, quando as ações da organização entram em choque com a realidade alterada no ambiente externo. Problemas tais como a perda de um cliente-chave muitas vezes levam uma organização a questionar seus pressupostos básicos e a recombiná-los e reordená-los. Uma organização de aprendizagem valoriza muito estas experiências, porque elas proporcionam um teste de realidade e permitem ajustamentos sem os quais no futuro poderiam ser cometidos erros maiores. Por exemplo, quando Alfred P. Sloan, Jr. se tornou o chefe da General Motors, ele levou essa empresa ao processo de desaprender, no qual todo um sistema de administração, caracterizado por feudos individuais, foi posto à margem, e em seu lugar vigorou a linha de administração descentralizada, mas coordenada, de Sloan.

Na AT&T, está ocorrendo a desaprendizagem em escala maciça. As crenças fundamentais e as práticas de operação desenvolvidas durante um século de experiência de sucesso como uma instituição regulamentada e quase governamental, estão agora sendo derrubadas em favor de outras novas mais adequadas à indústria agressivamente competitiva de comunicações globais. Para ilustrar:

- Um estilo de administração baseado em submeter decisões aos elementos-chave da burocracia está sendo descartado em favor de recompensas por tomar decisões e assumir riscos nos escalões mais baixos.
- Um comprometimento de um século da AT&T para com os mais altos padrões de produção tornou necessário produzir tudo em casa, para um exercício de controle mais rigoroso. Agora, a empresa está tendo

170 LÍDERES

de descartar esta atenção focalizada para qualidade, a fim de dar pelo menos tanta atenção a considerações de projeto, preço e valor. Para tanto, a empresa está, pela primeira vez, entrando em empreendimentos conjuntos com firmas como a United Technologies, N. V. Philips e Olivetti, das quais espera aprender muito sobre estas outras matérias.

- A cultura da "Ma Bell", baseada em carreiras de toda uma vida, promoções internas exclusivas, estabilidade de estruturas organizacionais e orgulho pelo serviço e excelência técnica, está sendo substituída. Os administradores e trabalhadores vêem que o crescente recrutamento de pessoal de fora, mudando as estruturas organizacionais, e o alto valor da inovação estão redirigindo trajetórias de carreira e moldando novos padrões de comportamento que com o tempo determinarão uma nova cultura empresarial. A antiga cultura está sendo desaprendida lentamente e por fim será esquecida por todos os "antigos".

Ninguém sabe o quão bem-sucedida a AT&T será em desaprender suas experiências e valores profundamente arraigados; porém, nada menos do que a viabilidade futura da empresa pode depender disso.

Estas seis modalidades de aprendizagem inovadora ilustram algumas das maneiras pelas quais as organizações aprendem como se reconfigurar, substituir as velhas *regras*, melhorar seus fluxos de informação e revitalizar sua capacidade criativa. Com aprendizagem organizacional efetiva, o julgamento melhora no decorrer do tempo, os pressupostos convencionais são continuamente contestados, e os níveis mais profundos do papel do ambiente e da organização são constantemente atingidos. Mas assim como certas crianças aprendem lentamente, enquanto outras disparam na frente, o mesmo acontece com algumas organizações mais efetivas do que outras, em aprendizagem inovadora. A diferença é liderança,

Estratégia IV: O Desenvolvimento do Eu **171**

sem o que a aprendizagem organizacional é desfocalizada — com falta de energia, força, coesão e propósito.

LIDERANDO A ORGANIZAÇÃO DA APRENDIZAGEM

Dissemos que a maioria de nossos noventa líderes estava ciente da importância de suas próprias capacidades e necessidades de aprendizagem. Todos eram aprendizes entusiásticos, abertos a novas experiências, procurando novos desafios e tratando os erros como oportunidades para aprimoramento pessoal. Um número menor deles estava igualmente cônscio de seu papel em aprendizagem organizacional, mas encontramos evidência sugerindo que grande parte do seu comportamento se destinava a dirigir e energizar a aprendizagem inovadora. Por exemplo, quando falamos com William Kieschnick, presidente da ARCO, ele nos disse:

> No início de minha carreira eu estava trabalhando para diversos líderes nesta empresa, que eram importantes modelos de papéis... Assumiam riscos em poços exploratórios e já que era uma situação incerta, eles toleravam dissensão e outras idéias, um do outro, antes que definissem um curso de ação... As idéias eram importantes e a tensão criativa aceita como uma ferramenta de trabalho, e estes aspectos foram muito significativos na modelagem de minha jovem vida e de meus valores.

Assim, William Kieschnick descreveu como os líderes estimulam a aprendizagem servindo como modelos de papéis. Ele foi influenciado para assumir riscos, e assim o eram outros jovens executivos promissores da época. Em resultado, assumir riscos tornou-se parte da cultura, moldando metas, regras de decisão, e a maneira como a ARCO negociava. Mais tarde em sua carreira, passou de

172 LÍDERES

chefe de uma organização de linha para vice-presidente de planejamento, antes de se tornar presidente. Atualmente serve como um modelo de papel para que os outros o imitem — inovador, competente, voltado para o futuro, pragmático, aberto a conselhos vindos de todas as direções, entusiástico e engajado. Aprendiz por excelência, Kieschnick é capaz de infundir à organização seu desejo de encontrar novas maneiras inovadoras para operar o negócio petrolífero.

Esta qualidade de fomentar a aprendizagem organizacional por meio de exemplo pode ser uma das funções mais importantes da liderança. James MacGregor Burns salienta que "a característica mais marcante dos autorealizadores como líderes potenciais supera o conceito de auto-realização de Maslow; é a capacidade de aprender com os outros e com o ambiente — a capacidade de ser ensinado".[10] Se o líder é visto como um aprendiz no que tange ao ambiente, outros tentarão igualar-se ao modelo, muito à maneira pela qual uma criança copia um dos pais ou um aluno imita um professor. O líder e a organização se nutrem mutuamente, orientando o processo do autodescobrimento criativo, através do qual aprendem como ser mais efetivos em um ambiente mutável.

Como exemplo, consideremos o que aconteceu quando James P. Morgan deixou a Philip Morris para se tornar presidente do conselho de administração e diretor da Atari. Admitiu livremente que tinha muito a aprender sobre jogos de vídeo e computadores pessoais. A organização ajudou-o através de uma série de reuniões com executivos e especialistas em tecnologias, produtos e concorrência na indústria. Muitas vezes ele percorria os saguões em busca de discernimento; conforme disse, "Sou muito inquisitivo. Em minha vida, nunca saí do escritório sem ter aprendido alguma coisa".[11] Por sua vez, ajudou a organização a aprender sobre o *marketing*

Estratégia IV: O Desenvolvimento do Eu **173**

de consumo, em grande parte através do exemplo, como pelas pessoas que contratou e promoveu, seus comentários à imprensa e sua escolha dos mídia de propaganda e mensagens. Em conjunto, começaram a aprender como reposicionar a Atari em seus nichos de produto/mercado, de maneira a aumentar sua probabilidade de sucesso. Infelizmente, neste caso, a aprendizagem mútua não ocorreu suficientemente depressa para evitar a perda de milhões de dólares e a venda final da Atari por sua matriz, Warner Communications.

Os líderes podem energizar o comportamento de aprendizagem recompensando-o quando este ocorre. O líder pode usar toda a gama de recompensas e punições para este propósito, incluindo remuneração, reconhecimento, controle sobre a alocação de recursos, promoção para responsabilidades aumentadas, missões desejadas, contas de retirada para despesas, liberdade quanto à rotina e mais.

Quais são alguns dos comportamentos a recompensar? Primeiro, o líder tem de reforçar o pensamento de longo prazo, a inovação e a criatividade. A especulação e a previsão de acontecimentos futuros devem ser legitimadas e respeitadas como atividades organizacionais. A mudança e a experimentação devem ser aceitas, bem como a concorrência de idéias e a criação de novas opções. Um impulso geral em direção à excelência e um comprometimento partilhado com as missões da organização também devem ser recompensados. Devem ser encorajados novos valores e disposições organizacionais, a fim de facilitar a difusão de conhecimentos e a identificação dos propósitos de níveis mais baixos com as missões globais da organização.

Por exemplo, o Citicorp é vastamente considerado como o mais inovador dos bancos do mundo. Foi o pioneiro em certificados de depósito negociáveis, foi dos primeiros e mais agressivos no emprego de caixas auto-

174 LÍDERES

máticas e emitiu mais cartões de crédito bançário do que qualquer outra entidade, sendo o maior banco privado emprestador do mundo para o exterior. Walter B. Wriston, recentemente aposentado como presidente do conselho e CEO do Citicorp, é considerado o responsável pela introdução, no banco, desta modalidade inovadora. Consideremos a maneira pela qual estimulou a aprendizagem inovadora:

- Autorizou muitos experimentos; quase todas as boas idéias que alguém tinha eram apoiadas. Além disso, convenceu os administradores de que esta era a maneira de ter sucesso. Conforme Richard S. Braddock, vice-presidente executivo do Citicorp, disse ao *Wall Street Journal*, "Ter uma grande quantidade de atividade em andamento, e aprender com isso, é o melhor que podemos fazer".[12]

- Encorajou a contratação de pessoas brilhantes, não convencionais, como seu sucessor, John Reed, um engenheiro que chefiava serviços bancários ao consumidor, e Edwin P. Hoffman, vice-presidente executivo com doutoramento em biofísica molecular. Promoveu-os rapidamente, quando lograram êxito. Muitos administradores de cúpula do Citicorp têm cerca de trinta a quarenta anos de idade.

- Não despedia as pessoas quando um empreendimento arriscado falhava. Em lugar disso, designava a pessoa para uma posição executiva mais sênior por um ano ou dois, a fim de que esta se recuperasse e se recarregasse para um novo experimento. A falha constante, naturalmente, resultava em demissão, mas Wriston parecia pensar que se você nunca tivesse cometido um erro, é porque não tinha tentado o suficiente.

Também são possíveis outras formas de recompensar a inovação. Jerry Neely, diretor da Smith International, disse-nos, "Se um administrador de divisão nos diz

Estratégia IV: O Desenvolvimento do Eu **175**

que vai fazer um trabalho de pesquisa e desenvolvimento em uma certa área, sabemos que isso causará impacto em seus ganhos, de modo que apostamos neste conceito e damos ao administrador uma meta mais baixa de retorno sobre investimento durante diversos anos".

Neely também dá às pessoas jovens e aventureiras autoridade considerável para tomar decisões. Conforme diz: "Mantemo-nos forçando cada vez mais decisões, dando às pessoas menores limites de dispêndio e contratação, e mais livre-arbítrio em termos do impacto financeiro de seu desempenho... De doze presidentes de divisão, somente dois estão acima dos cinqüenta anos e estas divisões faturam de $ 30 a $ 400 milhões".

Existem muitas outras maneiras pelas quais um líder pode ajudar a estimular a aprendizagem organizacional. Gil Friesen, presidente da A&M Records, disse-nos que ele forma um ambiente criativo contratando jovens talentosos e nutrindo seu espírito de inovação. Muitos líderes desenvolveram um estilo de decisão em que recusam aprovar um projeto salvo se o departamento que o propôs também puder oferecer uma faixa de alternativas bem desenvolvidas, dessa forma impulsionando a pesquisa de outras opções. Outros usam caixas para sugestões e prêmios, a fim de estimular a busca de novas idéias, ou trazem consultores para dirigir "sessões grupais enfocadas", a fim de estimular a criatividade do grupo. As possibilidades são intermináveis.

ORGANIZAÇÃO PARA A
APRENDIZAGEM INOVADORA

Conquanto o líder proporcione o estímulo e o foco para a aprendizagem inovadora, algumas organizações, como certas crianças, apresentam deficiências na aprendizagem. Parecem ser tão rígidas e inflexíveis que somente

176 LÍDERES

uma grande crise pode mudá-las. Isso não é bom. O bom é que os líderes podem redesenhar as organizações para que estas se tornem mais receptivas à aprendizagem. Podem fazer isso desenhando *organizações abertas* que sejam tanto *participativas* como *antecipadoras*.

Uma organização aberta é a que é desenhada para ter interações constantes e intensas com seus ambientes externos e responder rápida e flexivelmente à nova informação. Em uma organização aberta as pessoas participam de um conjunto de normas, valores e prioridades que contribuem para a aprendizagem — rapidez para mudar, busca de novos desafios e opções, e respeito por inovação e pelo ato de assumir riscos. Uma organização aberta também é voltada para o futuro, no sentido de que grande parte de seu comportamento é regida por previsões de futuras ameaças e oportunidades e uma preocupação com as conseqüências futuras das estratégias atuais. É dada grande atenção aos sistemas de informação e comunicação, aos canais através dos quais a aprendizagem é partilhada por todas as partes da organização. São criadas unidades de tamanho controlável, suficientemente pequenas para permitir que os empregados sintam responsabilidade genuína pela unidade e para medir o seu progresso na acomodação à alteração ambiental.

Os fabricantes de computadores e as firmas de *software* são exemplos particularmente bons de organizações abertas e flexíveis. Internamente, essas firmas em geral são dominadas por estruturas de projetos e de programas que podem ser facilmente rearranjadas. Há uma considerável mobilidade de emprego dentro de ambas as firmas e entre elas, de modo que as lições aprendidas em um lugar são rapidamente difundidas. Um pequeno exército de pessoal de vendas e serviços mantém relacionamento próximo com os clientes, de modo que as novas necessidades são facilmente

Estratégia IV: O Desenvolvimento do Eu **177**

identificadas. O pessoal técnico freqüentemente vai a conferências para partilhar os últimos desenvolvimentos. Os fornecedores são envolvidos logo cedo no projeto de novos produtos. As associações de usuários, analistas de mercado e uma vigorosa imprensa da classe proporcionam contínua retroinformação crítica sobre as decisões da firma. São escolhidos administradores que podem absorver todas as informações e são rápidos em desenvolver novas equipes de programas e projetos que reagem a novas situações. A indústria toda aprendeu a importância da flexibilidade, e a falência espera os que não são capazes de enfrentar a mudança rápida.

A participação é o segundo elemento no desenho de uma organização da aprendizagem. Conforme nos disse Franklin Murphy, presidente do conselho de administração da Times-Mirror Publishing Company, "as pessoas apostam em uma idéia de cuja concepção participaram; então trabalharão mais arduamente, de um modo muito mais dedicado, a fim de levar a idéia ao sucesso". Em grupos, os indivíduos aprendem entre si o que está acontecendo no mundo externo, o que é digno de atenção, que realizações são possíveis e aceitáveis, e como devem ser divididas as responsabilidades. Através de processos cooperativos, partilham seu entendimento e se estimulam mutuamente para investir tempo e energia para o benefício da organização.

Os líderes reconhecem a importância da participação para a aprendizagem. Na Olga Corporation, uma fabricante de roupas em crescimento rápido, o presidente do conselho, Jan Erteszek, diz, "Uma sociedade anônima não é somente uma entidade econômica, mas uma comunidade, possivelmente a comunidade central de nossos tempos... As reuniões criativas têm sido grandemente responsáveis por liderança em inovação de produto e qualidade".[13] O que o líder espera fazer é unir o pessoal da organização em uma "comunidade responsá-

178 LÍDERES

vel", um grupo de indivíduos interdependentes que assumam responsabilidade pelo sucesso da organização e sua sobrevivência de longo prazo. Procedendo deste modo, os líderes contribuem para a competência dos indivíduos e grupos em administrar a complexidade em seu ambiente.

Finalmente, a antecipação precisa ser proposta em organização da aprendizagem. Geralmente isto ocorre estabelecendo-se um processo de planejamento efetivo e recompensando-se as pessoas que o usam como um mecanismo para gerir a mudança. Como disse Donald Michael, "Planejar é a modalidade pela qual uma organização social complexa pode aprender o que busca tornar-se, perceber como encaminhar suas tentativas, testar se houve progresso, e reavaliar ao mesmo tempo se a meta original ainda é desejável".[14]

Em sentido mais geral, planejamento nada mais é do que um processo de fazer julgamentos informados sobre o futuro e agir de modo correspondente. Contudo, pode ser institucionalizado em um mecanismo de planejamento formal, através do qual a organização identifica e avalia novos problemas, gera um consenso a respeito das ações apropriadas e proporciona legitimidade para as principais mudanças em direção. Em um estudo recente de nove grandes empresas, feito por James Brian Quinn, as contribuições mais importantes dos processos de planejamento formal foram as seguintes:

1. Eles criaram uma rede de informação que, do contrário, não seria disponível.
2. Periodicamente forçavam os administradores a estenderem seus horizontes de tempo e verem seu trabalho dentro de um quadro de referência maior.
3. Exigiam comunicações detalhadas sobre metas, assuntos estratégicos e alocações de recursos.
4. Sistematicamente ensinavam os administradores sobre

Estratégia IV: O Desenvolvimento do Eu **179**

o futuro, para que pudessem mais intuitivamente calibrar suas decisões de curto prazo ou temporárias.

5. Muitas vezes criavam uma atitude e um fator de bem-estar concernente ao futuro; isto é, os administradores se sentiam menos incertos quanto ao futuro e, em conseqüência, estavam mais dispostos a manter comprometimentos que iam além dos horizontes de curto prazo.

6. Muitas vezes estimulavam estudos especiais de prazo mais longo que poderiam ter um alto grau de impacto nas conjunturas-chave para decisões estratégicas específicas.[15]

Resumindo, os líderes podem proporcionar o ambiente apropriado para a aprendizagem inovadora, desenhando organizações abertas em que a participação e a antecipação atuam em conjunto para estender os horizontes de tempo daqueles que tomam decisões, ampliar suas expectativas, permitir a partilha de pressupostos e valores, e facilitar o desenvolvimento e emprego de novas abordagens. Aprendendo tanto quanto possível sobre seu ambiente mutável e a direção para onde ele parece estar indo, a organização pode desenvolver um sentido de seu propósito, direção e estado futuro desejado. Quando este senso é largamente partilhado na organização, as energias de todos os membros se alinham em uma direção comum e cada indivíduo sabe como os seus esforços contribuem para o impulso global. Com um entendimento de para onde se dirige o ambiente e para onde se encaminha a organização, é muito mais fácil tanto posicionar a organização como tirar vantagem das tendências em vigor e desenhar uma arquitetura social apropriada que apóie o impulso global.

Em tudo isto, o papel do líder é muito parecido com o de um regente de orquestra. O trabalho real da organização é feito pelas pessoas que se acham nela,

180 LÍDERES

assim como a música é produzida pelos membros da orquestra. Mas o líder serve ao papel crucial de assegurar que o trabalho certo seja realizado na ocasião certa, que flua harmoniosamente em conjunto e que o desempenho global tenha o ritmo e a coordenação apropriada, e cause o impacto desejado no mundo externo. O grande líder, como o grande regente de orquestra, busca o melhor que há em sua organização. Cada desempenho é uma experiência de aprendizagem que permite que o próximo empreendimento seja muito mais efetivo — mais "certo" para a ocasião, lugar e instrumentos disponíveis. E se a longo prazo a organização logra êxito, ela não menospreza a qualidade do trabalho de todos os demais para sugerir que foi o líder que possibilitou à organização aprender como aperfeiçoar sua contribuição.

Assumir a Responsabilidade: Liderança e Concessão de Poder

Mas é difícil conhecer a mente ou o coração de qualquer mortal até que ele seja testado em posição de chefia. O poder mostra o homem.

Sófocles, *Antígona*

Os líderes têm um papel significativo na criação do estado mental que é a sociedade. Eles podem servir como símbolos da unidade moral da sociedade. Podem expressar os valores que mantêm a sociedade em conjunto. Mais importante, podem conceber e articular metas que eximem as pessoas de suas pequenas preocupações, colocando-as acima dos conflitos que estraçalham a sociedade, e unindo-as na busca de objetivos que sejam dignos de seus melhores esforços.

John W. Gardner[1]

"Os empregados estavam dispostos a arriscar uma chance porque se sentiam parte de algo mágico e *queriam* trabalhar aquela hora extra, fazer aquela chamada telefônica extra, ou permanecer no trabalho naquele sábado extra. Talvez se tivéssemos uma administração diferente que fizesse exatamente a mesma coisa, exceto instilar aquela — sim, *magia* — não o teríamos conseguido". Estas foram as palavras de Jerry Neely a respeito de

182 LÍDERES

sua empresa, a Smith International, a segunda maior empresa fabricante de perfuratrizes para petróleo e equipamento do ramo.

Werner Erhard não usou a palavra "magia", mas parece que falava de algo semelhante:

> ... Há este posicionamento segundo o qual as pessoas se colocam, graças ao qual não é preciso dizer-lhes o que fazer; elas separam para si próprias o que precisa ser feito e o ponto onde podem trabalhar em harmonia com as outras pessoas, não em função de uma série de acordos ou contratos, mas em função de um senso de harmonia... É algo semelhante ao que você vê na tripulação de um veleiro, trabalhando em conjunto quando o cabo arrebenta. Muito poucas ordens, se houver, são dadas, e ninguém espera pelo outro, nem interfere em suas ações — há algo entre os tripulantes que os leva a um acordo tácito, a iniciativas geradas pelo grupo todo, sem que ninguém tenha a necessidade de dar ordens.

O que estes dois líderes mencionam como "magia" ou "alinhamento" é a epifania da liderança efetiva: líderes como catalisadores, líderes capazes de desenvolver suas idéias e eles próprios em certa consonância e, assim, comprometer-se com um risco maior — a exposição e a intimidade que a maioria de nós deseja, retoricamente defende, mas na prática evita. No seu melhor lado, estes líderes — um grupo que apresenta disparidades superficiais — comprometem-se com um empreendimento comum e são bastante maleáveis para absorver os conflitos; corajosos o suficiente, vez por outra, para mudarem pelas energias do empreendimento; e capazes de sustentar uma visão que abrange a organização inteira. A organização encontra sua maior expressão na consciência de uma responsabilidade social comum, e isso é traduzir essa visão em uma realidade vivente.

Esta é a "liderança transformadora"[2], a província dos líderes que vimos discutindo neste livro, líderes idênticos a John Gardner — e aqueles a quem ele alude: líderes que podem moldar e elevar os motivos e metas dos seguidores. A liderança transformadora realiza uma mudança significativa que reflete o conjunto de interesses tanto dos líderes como dos seguidores; com efeito, ele libera e reúne as energias coletivas na busca de uma meta comum.

Agora podemos fazer algumas breves generalizações sobre a liderança transformadora: ela é coletiva, há um relacionamento simbiótico entre líderes e seguidores, e o que a torna coletiva é o intercâmbio sutil entre as necessidades e vontades dos seguidores e a capacidade do líder para entender, de um modo ou de outro, estas aspirações coletivas. A liderança é "causativa", significando que pode inventar e criar instituições que podem dar poder aos empregados para satisfazerem às suas necessidades. A liderança é moralmente deliberada e edificante, o que significa, se nada mais, que os líderes podem, usando seus talentos, escolher propósitos e visões que se baseiam em valores primordiais da força de trabalho e criar a arquitetura social que os suporta. Finalmente, a liderança pode mover os seguidores para graus superiores de consciência, como liberdade, justiça e auto-realização.

Mas, como tornamos claro em nosso capítulo introdutório e deixamos subentendido no decorrer de todo o livro, a maioria das organizações é administrada, não liderada. Tipicamente, a administração consiste em um conjunto de intercâmbios contratuais, "você faz este trabalho por esta recompensa", ou, como o disse Erhard, "uma série de acordos ou contratos". O que é intercambiado não é trivial: empregos, segurança, dinheiro. O resultado, na melhor das hipóteses, é condescendência; na pior, obediência com

184 LÍDERES

rancor. O resultado final da liderança que expusemos é completamente diferente: é a concessão de poder. Não apenas altos lucros e salários, que em geral acompanham tal concessão, mas uma cultura organizacional que ajuda os empregados a encontrarem significado em seu trabalho e a enfrentarem desafios para experimentar sucesso. A liderança está para a concessão de poder da mesma forma que a administração está para a condescendência. A primeira encoraja um "orgulho pela participação", ao passo que a última sofre da síndrome do "Eu apenas trabalho aqui". Nossa esperança para este livro e para nossos leitores é separar a realidade da liderança transformadora daquilo que é acidental ou místico, e relacioná-la a algo que é suscetível de domínio, conhecimento e apreensão, e que pode se tornar disponível para todos os líderes atuais e futuros. E isto nos leva inevitavelmente ao tópico da formação em administração.

A FORMAÇÃO EM ADMINISTRAÇÃO

"A formação em administração" é, infelizmente, a descrição apropriada à maioria dos programas formais de educação e treinamento, tanto dentro quanto fora das universidades. A administração confia em grande parte, se não exclusivamente, em teorias mecanicistas pseudo-racionais, e forma cerca de 60.000 novos graduandos a cada ano. O hiato entre a formação em administração e a realidade da liderança no local de trabalho é, no mínimo, alarmante, e provavelmente explica por que o público parece manter tal imagem distorcida (e negativa) da vida empresarial americana.

Mas o problema da imagem, embora sério, não é o mais importante. O problema principal é que aquilo que a formação em administração faz moderadamente bem é treinar bons administradores-artífices; isto é, os graduados adquirem habilidades técnicas para a solução de problemas. São altamente habilitados em solução de problemas e peritos em assessoria. A solução de problemas, embora não seja um exercício trivial, está muito longe dos processos criativos e profundamente humanos, fundamentais para a liderança. O que é preciso não é a formação em *administração*, mas a formação em *liderança*.

O curso típico destinado à formação de administradores começa com numerosos pressupostos dúbios tais como "Se você não sabe quais são os seus objetivos, procure identificá-los". Ou, "Se você não sabe quais são as suas alternativas, procure até encontrá-las". Ou, "Se você não sabe o que fazer, empreenda pesquisas (ou contrate consultores) para estabelecer as conexões de causa-e-efeito em suas atividades".

Estas recomendações não são totalmente tolas. Podemos citar um pouco de experiência onde os esforços para estabelecer metas podem ser positivos, mas raramente são úteis a longo prazo. A idéia de estabelecer metas primeiro e agir depois baseia-se em uma crença racionalista que tem limitações óbvias como: De que modo se procede para procurar alternativas? Quais são as técnicas de busca? Como você faz para encontrar alternativas que não foram inventadas? E como você evita a criação de pseudo-alternativas como formas de fazer com que uma alternativa favorita pareça boa?

O mundo é muito mais fascinantemente complexo do que o pensamento linear direto, predominante na formação em administração: a natureza do próprio problema muitas vezes é questionada, a informação (e sua confiabilidade) é problemática, há interpretações múltiplas e conflitantes, diferentes orientações

186 LÍDERES

de valor, as metas são obscuras e contraditórias, e poderíamos prosseguir por aí afora. O ponto é que os cursos de formação em administração fazem, em sua maioria, certas suposições que são perigosamente enganosas — ou seja, que as metas são claras, que as alternativas são conhecidas, que a tecnologia e seus resultados são corretos e que há informações perfeitas em disponibilidade. Isto soa terrivelmente parecido com os cursos de microeconomia que, infelizmente, servem de base à formação em administração.

Tal questão agrava-se ainda mais devido ao fato de o elemento humano ser, em grande parte, omitido ou pouco valorizado na maioria dos currículos. Pelo que sabemos, as quatro competências básicas que esboçamos neste livro são aceitas mais como abertura do que como execução. E quando é tocado o "lado humano" aqui e acolá — como acontece nas escolas elitistas de administração — muitas vezes este é acompanhado de suspiros embaraçados ou de observações acadêmicas pejorativas como "tolo" ou "poético" ou "impressionístico" — atitudes e palavras que desacreditam as idéias antes que elas sejam entendidas.

DISSIPAÇÃO DE MITOS

Poderia ser conveniente, agora, passarmos a alguns mitos recorrentes que, a nosso ver, desvalorizam o que seria a formação em administração e, ao mesmo tempo, tendem a desencorajar os líderes potenciais de "responsabilizarem-se" por suas organizações. Estes mitos incluem os seguintes:

Mito 1. Liderança é uma habilidade rara. Nada pode estar mais longe da verdade. Conquanto *grandes* líderes possam ser tão raros como grandes corredores, grandes atores ou grandes pintores, todos têm um po-

Assumir a Responsabilidade **187**

tencial de liderança, assim como todos têm uma capacidade para correr, interpretar papéis e pintar. Embora pareça haver uma carência de líderes atualmente, em particular em altos postos políticos, existem literalmente milhões de papéis de liderança no país e todos eles estão preenchidos, muitos deles mais do que adequa-- damente.

Mais importante, as pessoas podem ser líderes em uma organização e ter papéis bastante comuns em outra. Conhecemos um professor de faculdade que é um general no Exército da Reserva dos Estados Unidos e um escriturário de J. C. Penney, que é um líder poderoso de um grupo religioso. Um motorista de praça que conhecemos é o diretor de um grupo de teatro amador, e um vendedor de cerveja aposentado é o prefeito de uma cidade de tamanho modesto.

A verdade é que as oportunidades de liderança são abundantes e estão ao alcance da maioria das pessoas.

Mito 2. Os líderes são natos, não feitos. As biografias dos grandes líderes algumas vezes são lidas como se eles tivessem vindo ao mundo com uma extraordinária dotação genética, como se de algum modo seu futuro papel de liderança estivesse predestinado. Não acreditem nisso. A verdade é que as maiores capacidades e competências dos líderes podem ser aprendidas, e todos nós somos educáveis, pelo menos se desejarmos aprender e se não sofrermos de sérios problemas de aprendizagem. Além do mais, quaisquer dotes naturais relacionados com liderança *podem* ser melhorados; o aprendizado é muito mais importante do que a carga genética na determinação de um líder de sucesso.

Isto não visa a sugerir que é fácil aprender a ser um líder. Não existe fórmula simples, nem ciência rigorosa, nem livro de receitas que leve inexoravelmente à liderança de sucesso. Ao invés, trata-se de um processo

188 LÍDERES

profundamente humano, cheio de tentativas e erros, vitórias e derrotas, ocasiões certas e acasos, intuição e discernimento. Aprender a ser um líder é algo como aprender a ser um pai ou um amante; sua meninice e adolescência proporcionam-lhe valores básicos e modelos de papéis. Os livros podem ajudá-lo a compreender o que se passa, mas, para os que estão prontos, a maior parte da aprendizagem ocorre durante a própria experiência. Conforme disse um dos nossos líderes, no que toca ao seu próprio desenvolvimento de liderança, "Não é fácil aprender a liderar; é como aprender, em público, a tocar violino".

Mito 3. Os líderes são carismáticos. Alguns o são, a maioria não é. Entre os noventa, havia alguns — mas muito poucos — que provavelmente correspondem às nossas fantasias de alguma "inspiração divina", aquela "aura divina sob circunstâncias de pressão" que associamos a J.F.K. ou a enganosa oratória fascinante que nos remonta a um Churchill. Nossos líderes eram todos "muito humanos"; eram baixos e altos, comunicativos e introvertidos, vestidos de forma a levar ao sucesso ou ao fracasso, e virtualmente não havia coisa alguma em termos de aparência física, personalidade, ou estilo que os tornasse distintos de seus seguidores. Nossa conjetura é que a liderança opera em outra direção; isto é, o carisma é o resultado de liderança efetiva, e não o contrário, e que os que se saem bem recebem um certo respeito e até temor por parte de seus seguidores, o que aumenta o vínculo e a atração entre eles.

Mito 4. A liderança existe somente na cúpula da organização. Podemos ter usado este mito sem ter a intenção, por focalizarmos exclusivamente a liderança de cúpula. Mas ele é obviamente falso. De fato, quanto maior a organização, mais papéis de liderança é provável que tenha. A General Motors tem milhares de papéis de liderança disponíveis para seus empregados, e a MCI tem centenas. De fato, hoje em dia, muitas grandes empresas estão se modificando, visando a criar mais papéis de liderança por meio de "intra-empresariado", a criação de pequenas unidades empresariais dentro da organização, com liberdade e flexibilidade para operar virtualmente como pequenas empresas independentes. William Kieschnick, diretor da ARCO, disse-nos que um dos maiores problemas que enfrentava era inspirar a empresa toda, de muitos bilhões de dólares, "com um espírito empresarial... que significa que precisamos de liderança em cada unidade separada, em cada nível — e creio que isso está acontecendo". À medida que as organizações aprendem mais a este respeito, quase certamente haverá uma multiplicação de papéis de liderança para os empregados.

Mito 5. O líder controla, dirige, impulsiona, manipula. Este, talvez, seja o mais nocivo de todos os mitos. Conforme salientamos regularmente, a liderança não é um exercício de poder em si, mas a concessão de poder aos outros. Os líderes conseguem traduzir intenções em realidade, alinhando as energias da organização por trás de uma meta atrativa. É Carlos Maria Giulini, o regente da Filarmônica de Los Angeles, que alega que "o que mais importa é o contato humano, que o grande mistério de fazer música exige amizade real entre aqueles que trabalham em conjunto". É Irwin Federman, presidente da Monolithic Memories, que acredita que "a essência da liderança é a capacidade de formar e desenvolver a auto-estima dos trabalhadores". É William Hewitt, que assumiu a John Deere and Company na metade da década de 1950, quando esta era uma pacata firma de implementos agrícolas de velha linha, e transformou-a em verdadeira líder mundial, porque, de acordo com um empregado, "Hewitt nos fez aprender como éramos bons".

190 LÍDERES

Estes líderes lideram atraindo e não impelindo; inspirando e não ordenando; criando expectativas realizáveis, embora desafiadoras, e recompensando o progresso em sua direção, e não manipulando; capacitando as pessoas ao uso de sua própria iniciativa e experiências, e não negando ou restringindo suas experiências e ações.

Uma vez que esses mitos sejam eliminados, a questão se torna não como ser líder, mas de que modo é possível melhorar a efetividade de uma pessoa em liderança — como "assumir" a liderança em uma organização. Conquanto estas lições de alguns dos grandes líderes da América possam ajudar a refocalizar a formação em administração — como esperamos que aconteça — por mèio das linhas aqui sugeridas, é igualmente importante que as organizações modifiquem sua arquitetura social, a fim de encorajar e desenvolver o estilo de liderança transformadora que vimos defendendo.

UMA NOTA FINAL

O que Tolstoi disse a respeito de famílias — que "todas as famílias felizes se parecem, ao passo que cada família infeliz o é à sua própria maneira" — revela-se verdadeiro para os líderes também. Nossos noventa líderes *de fato* se parecem. Todos têm a capacidade de traduzir intenção em realidade e sustentá-la. Todos fazem uma distinção nítida entre liderança e administração, interessando-se pelos propósitos básicos da organização, as razões pelas quais ela existe, sua direção geral e o sistema de valores. São capazes de induzir clareza quanto à visão de sua organização. (Como um vice-presidente e homem número dois de nossos executivos disse, "O que se passa com Joe [seu chefe] é que mesmo quando o conselho que nos dá sai errado, este é sempre *claro*".) Todos são

Assumir a Responsabilidade **191**

capazes de ficar entusiasmados com o significado da contribuição da organização para a sociedade.

Estas distinções entre líderes e administradores sempre existiram, mas elas assumem maior importância no contexto contemporâneo. Por isso é que nada é mais central para as organizações modernas do que sua capacidade para enfrentar complexidade, ambigüidade, incerteza — em suma, mudanças. E numa era de mudança rápida, torna-se necessário à organização ser mais voltada para o futuro, mais interessada em selecionar a própria *direção* (ou como o presidente do Swarthmore College, Theodore Friend III, disse: "o ângulo contra o vento"). Isto faz a liderança mais necessária hoje, em comparação a épocas mais estáveis, quando o relacionamento entre as organizações e o ambiente era mais bem compreendido, e quando mesmo os administradores podiam ser efetivos.

Desejamos ardorosamente que houvesse uma maneira simples de explicar, quanto mais ensinar liderança de uma maneira mais direta, passo a passo. Mas isso seria enganoso e, no final, não auxiliaria. Lembramos de uma história sobre Lee Strasberg, o famoso professor de atores de teatro. Ele estava dirigindo dois artistas estudantes em uma cena de amor e perguntou à jovem em que ela estava pensando para evocar a emoção necessária. Ela disse algo como, "... você sabe... primavera... com saudade e amando-o... você sabe". Strasberg então lhe perguntou se alguma vez ela tinha feito salada de frutas e quando ela respondeu afirmativamente, ele lhe perguntou como. Ela quis saber se ele estava falando sério, se ele queria mesmo que ela dissesse como tinha feito a salada de frutas na frente de todos... "aqui na aula"? Ele lhe garantiu que sim.

"OK", disse ela, "pego uma maçã, tiro a casca, corto-a em pedaços. Pego uma banana, tiro a casca e

192 LÍDERES

corto-a em fatias. Depois descasco uma laranja e corto-a em pedaços. Talvez coloque algumas cerejas. E depois misturo tudo".

Então Strasberg disse: "Está certo, é assim que você faz uma salada de frutas. E se você não pegar cada fruta, uma de cada vez, tirar-lhe a casca e cortá-la em pedaços, uma por vez, você não terá uma salada de frutas. Você pode passar um rolo compressor sobre as frutas, mas não terá uma salada. Ou você pode sentar-se defronte da fruta a noite inteira, dizendo, "OK, salada de frutas!". Não acontecerá coisa alguma, até que você pegue cada fruta, descasque-a e corte-a".[3]

Mas representar, até mesmo criar a emoção de amor, é fácil em comparação com liderança. Embora possamos elucidar tão claramente quanto possível os princípios que conseguimos aprender com nossos líderes efetivos, o processo de interiorizá-los é um desafio para a vida inteira.

Começamos este livro dizendo que nossa crise atual solicita liderança em cada nível da sociedade e em todas as organizações que a formam. Sem liderança da espécie que vimos solicitando, é difícil ver como podemos moldar um futuro mais desejável para esta nação ou para o mundo. A ausência ou falta de efetividade na liderança implica a ausência de visão, uma sociedade sem sonhos; na melhor das hipóteses, isto resultará na manutenção do *status quo*, e na pior, a desintegração de nossa sociedade, por falta de propósito e coesão.

Precisamos elevar a busca por uma nova liderança a uma prioridade nacional. Necessitamos desesperadamente de mulheres e homens que possam assumir tal liderança, e esperamos que você, leitor, esteja entre eles. O que pode ter mais resultados e ser mais inspirador?

Notas

EVITANDO EQUÍVOCOS

1. Sobre "liderança transformadora", ver Warren Bennis, "The Artform of Leadership", em S. Srivastva, ed., *The Executive Mind* (São Francisco: Jossey-Bass, 1983), cap. 1. As expressões "liderança transformadora" e "liderança transacional" vieram de James MacGregor Burns, com seu livro *Leadership* (Nova Iorque: Harper & Row, 1978), caps. 3 e 4.
2. Daniel Yankelovich e associados, *Work and Human Values* (Nova Iorque: Public Agenda Foundation, 1983), pp. 6-7.

194 LÍDERES

3. John Naisbitt, *Megatrends* (Nova Iorque: Warner, 1982).
4. Douglas McGregor, *The Human Side of Enterprise* (Nova Iorque: McGraw-Hill, 1960).
5. Robert Townsend, *Up the Organization* (Nova Iorque: Fawcett, 1970).
6. Philip E. Slater, *The Pursuit of Loneliness* (Boston: Beacon, 1970).
7. Jonas Salk, *Man Unfolding* (Nova Iorque: Harper & Row, 1972).
8. Duane Elgin, *Voluntary Simplicity* (Nova Iorque: Morrow, 1981).
9. Thomas J. Peters e Robert H. Waterman, Jr., *Vencendo a Crise: como o bom senso empresarial pode superá-la* (São Paulo, HARBRA, 1983).
10. William G. Ouchi, *Theory Z* (Reading, Mass.: Addison-Wesley, 1981).
11. Richard Tanner Pascale e Anthony F. Athos, *The Art of Japanese Management* (Nova Iorque: Simon & Schuster, 1981).
12. Ilya Prigogine, *Order Out of Chaos* (Nova Iorque: Bantam, 1984).
13. Rosabeth Moss Kanter, *The Change Masters* (Nova Iorque: Simon & Schuster, 1983).
14. Burns, op. cit.

LIDERANÇA E AUTOCONTROLE

1. *Profile of a Chief Executive Officer* (Nova Iorque: Heidrick & Struggles, 1982).
2. George Bernard Shaw, *Man and Superman* (Baltimore: Penguin, 1973), p. 84.
3. Alfred P. Sloan, Jr., *My Years with General Motors* (Nova Iorque: Doubleday, 1946; Anchor, 1972), p. 65.
4. Don Marquis, *The Lesson of the Moth* (Nova Iorque: Pushcart Press, 1976), pp. 167-68.
5. Albert Bandura, "Self-efficacy Mechanism in Human Agency", *American Psychologist*, fevereiro de 1982, pp. 122-47.

Notas 195

ESTRATÉGIA I: ATENÇÃO ATRAVÉS DA VISÃO

1. David Halberstam, *The Powers That Be* (Nova Iorque: Dell, 1979), p. 40.
2. Jonathan Carr, "Success as a State of Mind", *Financial Times*, 13 de fevereiro de 1984.
3. Maurice Hutt, ed., *Napoleon* (Englewood Cliffs, N.J.: Prentice-Hall, 1972), p. 151.
4. David Wessel, "Beech's President Gambles Firm's Future on a Radically Designed Business Airplane", *Wall Street Journal*, 8 de março de 1984.

ESTRATÉGIA II: SIGNIFICADO ATRAVÉS DA COMUNICAÇÃO

1. Richard Snyder, "Organizational Culture", em Warren Bennis et al., eds., *The Planning of Change*, 4ª ed. (Nova Iorque: Holt, 1985).
2. Ibid.
3. Ibid.
4. Alfred P. Sloan, Jr., *My Years with General Motors* (Nova Iorque: Doubleday, 1946; Anchor, 1972).
5. Ibid., pp. 45-60.
6. J. Patrick Wright, *On a Clear Day You Can See General Motors* (Grosse Point, Mich.: Wright Enterprises, 1979), pp. 16-17.
7. Ibid., pp. 17, 18.
8. Ibid., p. 15.
9. Mary Parker Follett, *Dynamic Administration* (Nova Iorque: Harper & Row, 1941), pp. 143-44.
10. Noel Tichy e David Ulrich, "Revitalizing Organizations: The Leadership Role" (Trabalho inédito, Universidade de Michigan, julho de 1983).
11. Brooke W. Tunstall, "Cultural Transition at AT&T", *Sloan Management Review*, outono de 1983, p. 9.

196 LÍDERES

12. Ibid., p. 10.
13. Sun Tzu, *The Art of War*, ed. por James Clavell (Nova Iorque: Delacorte, 1980), p. 5.
14. Tichy e Ulrich, op. cit.
15. *Johnson & Johnson*, Harvard Business School Case #0-384-053, preparado em 1983 por Arvind Bhambri, nosso colega na Escola de Administração da USC. O caso é distribuído por HBS Case Services, Harvard Business School, Boston, Ma 02163. Esta citação é da p.4.
16. Ibid., p. 5.
17. Ibid.
18. Ibid., p. 6.
19. Tunstall, op. cit., p. 11.

ESTRATÉGIA IV:
O DESENVOLVIMENTO DO EU

1. Donald N. Michael, "Planning — And Learning from It", em John M. Richardson, Jr., ed., *Making It Happen* (Washington, D.C.: U.S. Association for the Club of Rome, 1982), pp. 175-80.
2. James W. Botkin, Elmandjra Mahdi, e Malitza Mircea, *No Limits to Learning* (Nova Iorque: Pergamon, 1979), p. 10.
3. James MacGregor Burns, *Leadership* (Nova Iorque: Harper & Row, 1978), p. 380.
4. Frederick C. Klein, "Some Firms Fight Ills of Bigness by Keeping Employee Units Small", *Wall Street Journal*, 5 de fevereiro de 1982, p. 1.
5. "Changing Phone Habits", *Business Week*, 5 de setembro de 1983, p. 70.
6. Alfred P. Sloan, Jr., *My Years with General Motors* (Nova Iorque: Doubleday, 1946; Anchor, 1972).
7. W. Brooke Tunstall, "Cultural Transition at AT&T", *Sloan Management Review*, outono de 1983.
8. Beverly T. Watkins, "Higher Education Now Big Business

for Big Business'', *Chronicle of Higher Education*, 13 de abril de 1983, p. 1.

9. Tunstall, op. cit.

10. Donald N. Michael, *On Learning to Plan and Planning to Learn* (São Francisco: Jossey-Bass, 1973).

11. Gary Hector, "Atari's New Game Plan", *Fortune*, 8 de agosto de 1983, p. 52.

12. Daniel Hertzberg, "Citicorp Leads Field in Its Size and Power — And in Its Arrogance", *Wall Street Journal*, 11 de maio de 1984, p. 1.

13. Jan J. Erteszek, "The Common Venture Enterprise: A Western Answer to the Japanese Art of Management", *New Management* 1 (1983):5.

14. Michael, 1982, op. cit.

15. James Brian Quinn, *Strategies for Change* (Homewood, Ill.: Irwin, 1980).

ASSUMIR A RESPONSABILIDADE: LIDERANÇA E CONCESSÃO DE PODER

1. John W. Gardner, "The Antileadership Vaccine", *Annual Report of the Carnegie Corporation* (Nova Iorque: Carnegie Corporation, 1965), p. 12.

2. As expressões "liderança transformadora" e "liderança transacional", vieram de James MacGregor Burns, com seu livro *Leadership* (Nova Iorque: Harper & Row, 1978), caps. 3 e 4.

3. Esta anedota foi extraída de um artigo a respeito de Mike Nichols por Barbara Gelb: "The Director's Art", *New York Times Magazine*, 27 de maio de 1984, p. 29.